アンジェラ・デイヴィスの教え
自由とはたゆみなき闘い

アンジェラ・デイヴィス

フランク・バ

浅沼優子=訳

アンジェラ・デイヴィスの教え——自由とはたゆみなき闘い

目次

Freedom Is A Constant Struggle:

ferguson, palestine, and the foundations of a movement

by Angela Y. Davis, edited by Frank Barat.

Foreword by Cornel West

アンジェラ・デイヴィスの教え——自由とはたゆみなき闘い

凡例

一、訳者による補足は〔 〕で示した。

一、訳者による註釈は章ごとに▼1、▼2、▼3……と番号を付し、当該箇所の近傍に置いた。

訳者まえがき——今アンジェラ・デイヴィスを知るべき理由

浅沼優子

本書は、2016年2月に刊行された『Freedom Is a Constant Struggle: Ferguson, Palestine, and the Foundations of a Movement』の日本語訳である。現時点におけるアンジェラ・デイヴィスの最新の著作で、2013年から2015年の3年間に行われたインタビューやスピーチ、寄稿された記事で構成されている。

なぜ今読まれるべきか

刊行から5年が経過した今、なぜ日本語でこの本が読まれるべきなのか。まず一つに、近年アンジェラ・デイヴィスに再び世界的な注目が集まっていることが挙げられる。特に20

20年はそのピークとなった。毎年『TIME』誌が発表する「世界で最も影響力のある100人」の2020年の一人に選ばれた他、イギリス版『VOGUE』誌の2020年9月「アクティヴィズムの現在」特集号の「世界を変えるアクティヴィスト20人」の一人として表紙を飾り、タナハシ・コーツが編集を手がけた『VANITY FAIR』誌の9月特別号でも、ニューヨーク・タイムズが発行する『T Magazine』の「2020年の偉人」5名の中の一人としても、長編インタビューが掲載された。CNNもロシアのRTもカタールのアルジャジーラもイギリスのチャンネル4も、アンジェラのインタビューを放送した。これまで何度も出演してきた『デモクラシー・ナウ!』のような媒体のみならず、メインストリームの媒体までもがこぞって彼女の意見を求めているのは、多くの人々にとってショッキングで処理しきれない出来事の連続——未曾有のグローバル・パンデミックと、それに伴い露呈した政治・経済問題、そこに追い打ちをかけるようにソーシャル・メディアを介して拡散された残忍な人種差別的暴力、その反応として世界的なムーヴメントとして広がったブラック・ライヴズ・マター（Black Lives Matter: BLM）運動、それに民主主義そのものの真価が問われる大統領選——に、冷静かつ知的な視座を与えることが可能な人物であることを認識しているからだ。それは彼女が長年カリフォルニア大学サンタクルーズ校の教授を務め、現在は名誉教授となっている哲学の学者であり、最も重要で影響力のある思想家の一人であるというだけではない。彼女は50年以上にわたり、アクティヴィストとして民衆運動の最前線に立ち続けてきた。そして彼女は、世界でも比類のない修羅場を生き抜き、アメリカという巨大な国家権力による抑圧に打ち勝った経験を持つ人物だからだ。

私が本書を初めて読んだのも、2020年であることを先に告白しておく。ちょうどヨーロッパ各国がロックダウンとなり、ベルリンで音楽イベントへのアーティスト・ブッキングを主な仕事としていた私はすべてが停止した状態になり、当面の予定が全く立たなくなったのが3月。パンデミックに関する情報を必死に追っていた頃、ジョージア州でジョギング中に白人親子に銃殺されたアマード・アーベリーの事件（2月23日）と、ケンタッキー州の自宅で就寝中だったブリオナ・テイラーが警察によって殺害された事件（3月13日）が起こった。その後、ニューヨーク市を中心に新型コロナウイルスの被害が拡大し、特に黒人やヒスパニック系などの有色人種が不均衡に犠牲になっていることが報道されていた。4月の末にはベルリンによく長期滞在していたデトロイトの友人の黒人DJが、COVID-19によって現地で若くして亡くなった。その約1ヶ月後にミネアポリスでジョージ・フロイド殺害事件が起こった。BLMというスローガンは理解していたつもりだったが、それに付随して繰り返される「Defund The Police（警察予算を引き揚げろ）」の意味するところはよく分からなかった。間もなくして6月7日にミネアポリス市議会が市警察の解体、予算拠出の打ち切りを表明した時は正直驚いた。警察を解体するとはどういうことなのか。度々出てくる「アボリション（abolition）」という概念も摑みきれずにいた。

本書はこれらの疑問や混乱にすべて答えてくれただけでなく、その先のヴィジョンまで示してくれる内容だった。それはアンジェラ・デイヴィスが預言者だからではない。本書の出版された2016年当時、いや収録されているスピーチが行われた2013〜2015年当時、さらにはずっとその以前から、黒人の置かれている状況、経験している不条理、そして変革を求める運動の本質は変わっていないからである。むしろ本書の出版後にトランプが大統領に就任し、レイシズムの問題はますます深刻化していた。そこにパンデミックの蔓延と、それに伴うソーシャル・メディア利用の増大、スマートフォン（のビデオ撮影）によってリアルタイムに実情が可視化され、拡散されるという特殊な状況が重なったことで、市民の怒りと不満がピークに達し、遂に決壊を起こしたのが2020年であったと言えるだろう。しかし、もし彼女の存在とこれまでの功績がなかったら、それは全く異なる形で表出していたかもしれない。それほど、彼女のこれまでの活動や研究、主張と、アメリカのみならず世界各地で民衆が求めている変革には重なる部分が多い。

この本は、2012年のトレイヴォン・マーティン殺害事件をきっかけに立ち上がったBLM運動が大きく拡大する起因となったミズーリ州ファーガソンでのマイケル・ブラウン殺害事件（2014年）、その際に歴然となったパレスチナ解放運動との連帯に焦点を当てながら、アンジェラ自身の研究者・アクティヴィストとしての叡智に基づき、それらの関係性の歴史と発展の可能性を解き明かしていく内容だ。その過程でBLMの創始者3名（アリシア・ガルザ、パトリス・カラーズ、オパール・トメティ）が女性なのは偶然ではないこと、彼女たちがクィア・フェミニストであることも偶然ではないこと、「指導者不在の運動」と呼ばれることも偶然ではないこと、世界各地でこれほど連帯運動が広がったことも偶然ではないことを教えてくれる。なぜアメリカの黒人殺害事件を機に、ヨーロッパで奴隷商や植民地主義を象徴する人物の銅像が破壊されたり撤去されたりしたのか、なぜ刑務所や警察の廃止《アボリション》と政治犯の解放が求められているのか、なぜパレスチナ解放運動が重要なのか、なぜ先住民や移民の人権問題とも切り離せないのか、そのコンテクストとしてのレイシズムとグローバル資本主義の関係性について教えてくれる。そしてアンジェラ・デイヴィスの最も素晴らしいところは、長年教育者として若者を指導してきたからだろうか、常に希望を携えて未来を見ているところだ。

しかしながら、日本語では驚くほど彼女のことは紹介されていない。彼女が国際的な注目を最も集めたのは、FBIの10大最重要指名手配犯となり、逮捕され裁判にかけられた1970年から1972年の間に巻き起こった「フリー・アンジェラ」運動によってである。その頃彼女への支援を促すために出版された『もし奴らが朝にきたら――黒人政治犯・闘いの声』(現代評論社)と、その数年後に出た『アンジェラ・デービス自伝』(現代評論社)はいずれも絶版となっており、それ以降は『監獄ビジネス――グローバリズムと産獄複合体』(岩波書店)しか邦訳書は出ていない。アンジェラの70年代初頭の印象的なインタビュー映像をフィーチャーしたドキュメンタリー映画『ブラックパワー・ミックステープ〜アメリカの光と影』は日本でも2012年に公開されているが、詳細なリサーチに基づき彼女が指名手配されるまでの経緯と無罪を勝ち取るまでを再検証したドキュメンタリー映画『Free Angela and All Political Prisoners』[1](2012年)は日本未公開だ。オンラインで記事や動画検索をしても、日本のマスコミに彼女が取り上げられた形跡はほとんど見当たらない。だとすると、日本におけるアンジェラ・デイヴィスは70年代の政治犯で、「産獄複合体」の研究者であるという認識以降アップデートされていない可能性がある。

BLMへの関心と共感、およびこの運動や背景にある様々な問題についてより理解を深めたいと考えている人は日本にも多いように見受けられる。だが、その際にアンジェラ・デイヴィスについての日本語資料がここまでないのは問題だ。ならば自分でそれを変えようと、邦訳の企画を出版社に持ち込んだのが本書刊行の発端である。私はアメリカ黒人史の専門家でも、フェミニズムの研究者でも、社会運動論に精通しているわけでもないのだが、とにかく一人でも多くの日本語読者にアンジェラ・デイヴィスの功績と主張をもっと知ってもらいたいという一心で翻訳した。そして、それはこの本の目的と役割を考えた時、むしろ相応しいことのように思えた。市井の音楽ライターで、女性である自分をこのように奮い立たせ行動を起こさせたのも、アンジェラという人の影響力である。自由のための闘いに参加することは、誰にでもできるのだから。

想像することと伝えること

彼女が事あるごとに繰り返し述べていることの一つに、「未来を（再）想像することの大切さ」がある。カナダ放送協会（CBC）の2011年のインタビューで、彼女は人種隔離されたアラバマ州バーミンガムに暮らしながら、幼少の頃から教師で活動家でもあった母親に「本来はこうあるべきではない」と教えられてきたと話している。目の前の現状が自分の望むものでないならば、自分はどういう世界を望むのかを想像する、想像することからすべてが始まる。想像を膨らませることは、誰にでもできる。

▼1　このドキュメンタリー映画のプロデューサーにはラッパーのジェイ・Zとウィル・スミスも名を連ねている。

自分では変えられないものを私は、これ以上受け入れるつもりはない。自分が受け入れられないものを、私は変えていく。

これはよく知られるアンジェラの発言だが、自らが想像する公正と平等と自由の世界について、ずっと彼女はあらゆる人に伝える努力をしてきた。カリスマ的なパブリック・スピーカーである彼女は、何度も何度も民衆の前に立ち、自らの声と言葉でそれを伝え、人々の心を動かし行動を促してきた。フランス語を学び、ドイツ語を学び、哲学を学び、いくつもの論文や著書を発表してきた。大学の教授として長年学生の指導にもあたった。そして76歳の現在も、目まぐるしく講演を行い、デモに足を運び、パネル・ディスカッションに参加し、執筆も続けている。そんなアンジェラの想像する世界は、ラディカルなものである。現代社会の根本的な変革を迫るものであり、実現には根気強さと長い時間を要するものである。しかし、確実に同じ世界を想像する人々による国際的なコミュニティが形成されてきており、今や主要なマスコミまでもが、彼女の声を伝えるようになった。ずっと先の未来を描き続けてきた彼女に、やっと時代が追いついてきたようだ。

少し個人的なことに触れると、私には約1年前から深く記憶に刻まれていた言葉がある。

アンジェラも本書の中で触れており、親交のあったノーベル文学賞やピュリッツァー賞を受賞している偉大な黒人女性作家で、プリンストン大学で教鞭も執っていたトニ・モリスンが2019年8月5日に亡くなった際、多くの人がシェアしていた数々の彼女の名言の中の一つである。

私は学生たちにこう伝えています。「あなたがこれまで受けてきた素晴らしい教育のおかげで職に就いた時、覚えていてください。あなたが自由なら、あなたの本当の仕事は他の誰かを自由にすることだと。あなたが力を持っているなら、あなたの仕事は他の誰かに力を与えることだと」。

私の場合は、自分が享受する自由はとことん謳歌してきた。音楽に携わる仕事をしてきたのも、それが楽しいからであって、そのような選択肢があることは自分が極端に恵まれているからだということも認識していた。しかし、その自由を他の誰かの自由のためにどれだけ生かしてきただろうか。他の人が経験していない、またはできない体験や学習の機会から得た知識を、十分共有してきただろうか。他の誰かに自由を与える、力を与える、それが自分にもできることだという意識を持ち合わせていなかったことに気づかされた。思い返せば、私が感動させられてきた、憧れてきたブラック・ミュージック、ヒップホップやソウルやジャズ、レゲエもディスコもハウスもテクノも、聴く者に自由と力を与える音楽ではないか。

つい先日、カリフォルニア大学デイヴィス校の女性資料研究センター（University of California Davis Women's Resources and Research Center）の開設50周年を記念して行われた「ラディカル・フェミニズムの未来の想像」と題されたパネル・ディスカッションに参加したアンジェラは、未来に望むこととして、「今後、もっと音楽や芸術の力を人々に認識して欲しいと思います。芸術は多くの場合過小評価されていますが、芸術には我々が夢を描くことを可能にする力があります。私は音楽の力を信じています」と発言した。実は、彼女は1998年に3名の黒人女性ブルース歌手をフェミニズムの観点から分析した著作『Blues Legacies and Black Feminism: Gertrude "Ma" Rainey, Bessie Smith, and Billie Holiday』（未邦訳）を発表しており、現在はジャズに関する本を執筆しているという。この発言には、音楽に携わってきた者として非常に心を動かされた。私にも、もっと何かできることがあるかもしれない。

アンジェラ・デイヴィスという人

ここで改めて、彼女がどのような人物なのかを紹介しておきたい。

私は共産主義者で、進化論者で、国際主義者で、反人種主義者《アンチ・レイシスト》で、反資本主義者で、フェミニストで、黒人で、クィアで、アクティヴィストで、親労働者階級《プロ・ワーキング・クラス》で、革命家で、知的コミュニティ構築者です。

2020年6月にニューヨークの2人のドラァグ・クイーンが主催したオンライン・イベント、「ブラック・クィア・タウンホール（Black Queer Town Hall）」[2]のトークに出演した際に、まず「ご自身の属性を自己紹介してもらえますか？」と聞かれ、アンジェラは笑顔でこう答えた。事実、彼女はブラック・パワー・ムーヴメントの闘士であるだけでなく、ラディカル・フェミニストであるだけでなく、刑務所廃止論者であるだけでなく、これらすべてを同時に兼ねている。そして刑務所廃止を議論する中で、トランスジェンダーに対する暴力の問題についても強く主張してきた。そんな彼女の半生を大まかに辿ってみるとしよう。自身が「南部でも最も人種隔離が顕著であった」と言うアラバマ州バーミンガムの出身で、

▼2　3日間行われたオンライン・イベントはYouTubeで視聴可能。最終日のクロージング・トークのゲストとしてアンジェラが出演している。

彼女は幼少期から激しい人種差別的暴力を間近に経験しながら育った。学業に長けていたであろう高校生の時、人種隔離されていた南部の黒人生徒に対し、北部の人種統合された学校で学ぶ機会を提供するクエーカー教会のプログラムによりニューヨークの高校に通う。その後奨学生としてマサチューセッツ州のブランダイス大学に入学し、フランス語を専攻していた彼女はパリのソルボンヌ大学などで交換留学生として学ぶが、ブランダイス大学に戻ってからは専攻を哲学に変更し、フランクフルト学派の哲学者、ヘルベルト・マルクーゼ[3]に師事。哲学の修士課程でフランクフルト大学に留学を果たすが、マルクーゼが教鞭を執っていたカリフォルニア大学サンディエゴ校に戻って修士号を修得している。複数のインタビューで述べているところによると、ヨーロッパ留学中に母国ではブラックパンサー党（Black Panther Party: BPP）が発足するなど、いわゆる「ブラック・パワー・ムーヴメント」が本格化し始め、それに自らも参加するために帰国を決めたという（なお、博士号は東ベルリンのフンボルト大学より授与されている）。

1969年に25歳の若さでカリフォルニア大学ロサンゼルス校の哲学科の助教授として、マルクス理論を教えるために迎えられるが、他にも複数の大学からオファーがあったようだ。アンジェラがカリフォルニアを選んだのは、BPPの本拠地がカリフォルニア州オークランドであったことと無関係ではないだろう。しかし、本書のインタビューでも述べている通り、彼女はBPPの「教育担当」として活動に携わっていたが、正式な党員にはならず、共産党員になることを選んだ。この頃は、殺害予告が何百通と届き、教室間の移動や自宅においても厳重な警備が必要だったと後のインタビューで振り返っている。そして、時のカリフォルニア州知事のドナルド・レーガンは、彼女が共産党員であることを理由にカリフォルニア大理事会に彼女を解雇させる。その後、解雇は違法だとして一度復帰が認められるも、別の理由で再度理事会によって解雇されてしまう。

同年の1970年、事件が起こる。すでに不当に収監されている黒人受刑者の支援活動に従事していたアンジェラは、ソルダッド刑務所に服役していた死刑囚で、「ソルダッド・ブラザーズ」の一人として知られる、獄中でBPPの党員となったジョージ・ジャクソン▼4という人物と交流を深めていた。その彼の当時17歳の弟ジョナサンが、兄を解放する目的で裁判所を襲撃し、ジョナサン自身と上級裁判所裁判官ハロルド・ヘイリーを含む4人の死者と2

▼3　フランクフルト大学を中心に、マルクス主義の新たな潮流を生み出した学者グループ「フランクフルト学派」の一員だった哲学者・社会学者。ユダヤ系だったためにナチスを逃れてアメリカに亡命し、その後帰化している。

▼4　詳細はジャクソンの著書、『ソルダッド・ブラザー』（草思社）で読むことができるが、彼自身は1971年（アンジェラが勾留されている間）に脱獄を試みた際に銃殺され亡くなっている。ボブ・ディランが彼のについての曲を同年に発表している。

人の負傷者が出る惨事となる。その際に使用された銃が彼女の名前で登録されていたことから、殺人、誘拐、共謀の三つの容疑で起訴され、さらにFBIのエドガー・フーヴァー長官により10大最重要指名手配犯に指定された。

2ヶ月ほど逃亡しアメリカ国内を転々とするが、ニューヨークで逮捕され、アンジェラは16ヶ月という期間を拘置所で、しかも大半を独房で過ごす。この際、時のリチャード・ニクソン大統領は、「凶悪なテロリスト」を捕らえたFBIを公に称賛している。だが、すでに自身が刑務所問題に取り組む活動家だった上に、目立つ存在となっていた彼女の解放を求める運動がアメリカ全土で捲き起こる。彼女を支援するためにジョン・レノンとオノ・ヨーコが「Angela」という曲を、ザ・ローリング・ストーンズが「Sweet Black Angel」という曲を作ったこと、さらに、アレサ・フランクリンが彼女の保釈金を払うと名乗り出たことなどは有名なエピソードである。世界中に「フリー・アンジェラ」運動が広がり、熱い注目を集める中行われた1972年の裁判は、とはいえ陪審員は全員白人、検察は三つの容疑すべてに対し極刑を求刑しており、この時代にあえて黒人の弁護団で挑んだ黒人容疑者に勝算のある状況ではなかった。有罪となれば死刑か、（ちょうど1972年にカリフォルニア州で死刑が違憲であるとの理由で一時的に中止されていたため）少なくとも無期懲役が待っていた。特に共謀罪で無罪を証明するのが極めて困難であったというが、この逆境において彼女はすべての容疑で無罪を勝ち取ったのだった。

この国家による組織的な抑圧に対する勝利は、アンジェラ一人のものではなかった。彼女は、これまで差別や迫害を受けてきた、中にはすでに命を絶たれたか鉄格子の向こう側にいる黒人、その他の有色人種、活動家、ブラックパンサー、共産主義者、女性、政治犯を象徴していた。彼女が自由の身で生存していることが、こうした人々やその支援者の希望となった。そのことを誰よりも理解しているのはアンジェラ自身であり、彼女は頑なにそれを主張し続けている。彼女の勝利は個人のものではなく、人民の、民衆運動の勝利であると。「いかにより多くの〝人民の勝利〟をもたらすかが、私の人生のテーマとなりました」という彼女の言葉で、ドキュメンタリー映画『Free Angela and All Political Prisoners』は締めくくられている。

インターセクショナリティとアボリション

アンジェラは1974年に自伝を発表してから、1975年にさっそく教育の現場に復帰し、クレアモント大学院大学、サンフランシスコ州立大学などで教えた後、1991年から2008年まで17年間カリフォルニア大学サンタクルーズ校の教授を務め、現在は同校の名誉教授となっている。学者としては、1981年発表の、ジェンダー、人種、階級の複合的な関係性を論じた『Women, Race and Class』（未邦訳）はフェミニズムおよびジェンダー論研究、人種問題、階級問題それぞれの分野のその後の研究に影響を及ぼした彼女の代表作と言えるだろう。交差性《インターセクショナリティ》という、現在ではフェミニズム理論において非常に重要になったこの概念を最初に定義付けたのは、アメリカの法学・哲学者であるキンバリー・ウィリアムズ・クレンショーが1989年に発表した論文だとされているが、デイヴィスの著書はその土台となった理論的枠組みを提供しており、彼女の活動や研究そのものがインターセクショナリティの具現化に他ならなかった。黒人や先住民やその他の有色人種の女性、経済的に貧しい女性の経験する差別は性別だけでなく複合的な要因で構成されており、中産階級の白人フェミニストが求める男女平等の議論から彼女たちは除外されてきたからだ。ジェンダー間の平等は、人種間の平等や経済的な平等と同時に達成されなければならないことをアンジェラは説いてきた。

もう一冊極めて重要なのが、原書は2003年に発表されている『監獄ビジネス——グローバリズムと産獄複合体』（岩波書店）で、ここで彼女が定義付けた「産獄複合体（Prison industrial complex）」▼5の概念は、今や一般にも広く理解され、定着しつつある。刑務所の民営化により利益を追求するビジネスとなった刑務所の問題とレイシズムの関連性は、その後ベスト・セラーとなったミシェル・アレクサンダーの著書『The New Jim Crow』(2010年、未邦訳)でも論じられ、本書の刊行と同年の2016年に公開されたエイヴァ・デュヴァーネイ監督のドキュメンタリー映画で、アンジェラもミシェルも出演している『13th――憲法修正第13条』[6]によって、これまでにないほど広く認識されることとなった。どちらも女性が手がけているという点にも注目すべきだろう。この議論において発展していったのが「アボリショニズム」である。「abolition」という語は、直訳すると廃止や廃絶という意味で、奴隷制廃止運動の頃から使われてきた。刑務所や警察による暴力を廃絶せねばならないという主張で、日本では多くの場合「prison abolition」は「刑務所廃止」と訳され、本書でもそれに倣ったが、日本語の「廃止」という語は既成の制度や設備の使用を止めるというニュアンスが強い。アボリショニズムは「廃絶主義」と訳すのが妥当だと思われるのは、アボリショニストが目指すのは制度の廃止のみならず、その前提となる社会規範や考え方の根本的な変革だからである。つまり、刑務所や警察という制度をただ無くせばいいと言っているのではない。処罰の手段として身体を拘束し、自由と権利を剥奪すること、また警察が暴力の使用に

▼5　直訳すると「刑務所産業複合体」だが、邦訳書に合わせて本書では産獄複合体という訳で統一した。
▼6　この映画はネットフリックス社が2020年4月からYouTube上で全編無料(日本語字幕あり)で公開している。

よって市民の行動を制御することが、社会の安全を確保するために有効なのかを問い直し、他の方法を模索するよう促している。本書ではそのより広義の意味も込めて、文中の abolition の多くをカタカナ表記とした。

冒頭でアンジェラ・デイヴィスに注目が集まっていることに触れたが、その理由は彼女が兼ねてから説いてきた、そして長い間「エクストリーム」で非現実的だとされていたこれらのラディカルな理論が、BLMの主張と直結しているからである。本書では、そうした要点がアンジェラ自身の言葉で簡潔に説明されており、一通りの概要を網羅することができる。全体を通じた彼女の分析および主張の特徴は、彼女が「フェミニスト・アプローチ」と呼ぶ、一見バラバラに見える様々な問題の関係性を解き明かすことに重点を置いている点、根底に資本主義批判があり、常にグローバルな視点から物事を捉え国際主義を重んじている点、そして必ず個人よりも集団・構造に着目している点である。それは複雑な問題の単純化を拒む態度であり、根気強く取り組むことを強いる態度でもある。

レイシスト的な社会においては、「非レイシスト」であるだけでは不十分である。「反レイシスト」でなければならない。

という彼女の有名な言葉があるが、これは社会の不正には個人として関与しない選択をするだけでは不十分であることを伝えている。また、BLM創始者の一人であるアリシア・ガルザは、「私たちはリーダーをスーパーヒーローとして扱うことを止めなければならない」と2016年のTEDトークで発言している。アンジェラですらも、スーパーヒーローではなく、彼女一人だけで社会の不正を正すことはできない。黒人が遂に大統領の座にまで上り詰めたからといって、レイシズムが消滅するわけではなかったことも、すでに実証済みである。社会の構造的な変革を促すには、集団的な意思表明と行動に参加しなければならないのだ。50年以上こうした問題に取り組み、アクションを起こしてきたアンジェラ・デイヴィスは、現在の状況について、2020年6月のチャンネル4のインタビューでこのように述べている。

この瞬間、現在の歴史的な巡り合わせは、これまで我が国で我々が経験したことのない変革の可能性をもたらしています。これを60年代の民衆蜂起と比較すべきかどうかは分かりませんが、そこからの歴史的な連続性があります。2020年、我々は過去何十年、いや何百年と取り組んできた社会からレイシズムを追放するための努力の成果を目の当たりにしています。(中略)このような奴隷制と植民地主義がもたらした結果に対するグローバルな挑戦は、未だかつて経験したことがないのではないでしょうか。

常に社会の変革は可能であるという希望を持ち続けてきた彼女は、過去と現在を繋ぎ、その連続性を自ら体験している希少な存在の一人である。しかし、私たちはまだ彼女が想像してきた世界を実現したわけではない。先に触れたカリフォルニア大学デイヴィス校主催のパネル・ディスカッションでは、このようにも語った。

私は、この瞬間に立ち会えなかった、闘争に参加してきたたくさんの人々を代表して歴史を目撃しています。グローバル資本主義の帰結として、このようなグローバル・パンデミックが起こり、そしてそのパンデミックが構造的人種差別を浮き彫りにし、人々に熟考の機会をもたらすことになろうとは、誰も想定していませんでした。しかし、もし我々が継続的な組織化と知的労働をしてこなければ、どのような世界がより望ましいかを考えてこなければ、この瞬間を変革の機会として生かすことはできなかったのです。歴史は、自然に私たちの望む方向に進んでくれるわけではありません。ですから、我々は努力を続けなければならない。新たな制度を作り上げなければならない。ドラマチックな瞬間が過ぎても、地道な作業を続けなければならないのです。私が今後に望むことは、その努力が続けられることです。

だからこそ今、彼女がこれまで取り組んできたことをより多くの人に知ってもらいたい。そして、今という瞬間の歴史的な重要性を認識してもらいたい。自由と安全を当たり前のように享受して生きてきた（私のような）者とは全く違う視点で世界を、時代を見て生き抜いてきたアンジェラは、我々に自由の意味を深く考えさせてくれる。自由とは何か、これまで特定の人々の自由のために、どれだけ他の人々の自由が犠牲にされてきたのか、そして私たちが享受している自由のために、どれだけ闘ってきた人たちがいたのかに思いを馳せながら、アンジェラ・デイヴィスの教えに触れて欲しいと思う。

刊行に寄せて

コーネル・ウエスト

アンジェラ・デイヴィスは、世界でも稀有で偉大な、長年にわたる知的自由戦士の一人である。1960年代の革命的な大衆運動から今日の反政府社会運動に至るまで、アンジェラ・デイヴィスは地球上の抑圧された人々から焦点を外すことなく、不動の姿勢を貫いてきた。学術界の大多数の左派とは対照的な、彼女の構造的分析と勇気ある実践は、彼女の人生と福利においては途方もない犠牲を強いてきた。哲学科助教授として新たに着任したカリフォルニアでは、ロナルド・レーガン知事によって悪魔化された。カリフォルニア大理事会は、彼女が共産党員であったことを理由に学職を剝奪。彼女はFBIの最重要指名手配犯リストの最上位に揚げられ、アメリカ帝国の警察から逃亡中に捕らえられ、投獄された。この歴史的な裁判での彼女の優美さと威厳は世界に衝撃を与えた。そして、国際的なスポットライトを浴びる中で、革命的な天職に忠実であり続けようとする彼女の決意は、多くの人々にとって勇気の源となってきた。

国家による組織的な黒人戦士の処刑や監禁、政府による黒人専門家の取り込みが行われた後も、アンジェラ・デイヴィスは知的なパワーと道徳的な熱情を携えて凛と立っている。新自由主義《ネオリベラル》支配という30年に及ぶ氷河期の間も、アンジェラは貧しい人々や労働者の自由のために闘い続けた。彼女の女性、労働者、有色人種の人々に関する研究は、レーガンとブッシュの時代も、ラディカルなヴィジョン、分析、そして実践の火を絶やさぬよう役立てられた。刑務所制度の新興産業としての成長に関する研究のパイオニアとして、彼女が続けている知的・政治的な貢献は、ファーガソン事件の時代における運動《ムーヴメント》のあり方の基盤となった。そして、至るところで行われている彼女の講演、優れた教育活動、そして地球の隅々に張り巡らされた勇敢な連帯のネットワークは、新自由主義覇権の下の寒々しい日々の中で、希望のろうそくを灯し続けている。彼女は、50年以上にわたる闘争、苦難、奉仕を経て、今もアメリカ帝国における左派の顔として最も広く認知されている。

この彼女の権威に満ちた最新のテキスト集においても、アンジェラ・デイヴィスは、その優れた分析力と国内外における強靭な観察力を発揮している。暴力、白人至上主義、家父長制、国家権力、資本主義市場、帝国政策の力学に対する構造的かつ知的・政治的反応としての「インターセクショナリティ」を、明確かつ簡潔な態度で、彼女は体現し、実行して見せる。

2014年12月3日、偉大なマルコムXのオックスフォード・ユニオン登壇50周年を記念して行われたオックスフォード・ユニオン討論会に、光栄にも私は親愛なるシスターであり同志でもあるアンジェラと一緒に参加することができた。この崇高なイベントにおいても、彼女は見事な話術でマルコムの精神を呼び戻した。この同じ精神が本書にも注ぎ込まれており、長年にわたって人々に奉仕することの喜びを共に享受するよう、私たちを手招きしている。

編者まえがき

フランク・バラット

私はこれを、ブリュッセルの小さな事務所で執筆している。6月も終わりに近づき、そろそろ夏の暑さが訪れる時期だ。

私の事務所は、公正な世界の実現に向けて活動する様々な組織や慈善団体が集まるビルの中に入っている。そのいくつかは西サハラ地域、別のいくつかはパレスチナ地域、また拷問やラテンアメリカ、アフリカの問題に重点的に取り組んでいる団体もある。より公平でより良い社会を信じ、信念を持って行動を起こし、世界を変えるために人生を捧げることを決意した人々に囲まれていることは、仕事をする環境として素晴らしい。ユートピアのように聞こえるかもしれない。しかし、ここで重要なキーワードは、おそらくあなたが思い浮かべている言葉ではない。それは、「努力」である。努力し、また努力を繰り返す。決して止めない。やがてそれ自体が勝利となる。あらゆる人と事象は、「外の世界では」お前は成功しない、もう手遅れだ、もう我々は革命を起こすことができない世の中に住んでいる、と言ってくる。ラディカルな変革など、過去の夢だと。お前はアウトサイダーでいることはできても、システムの外に存在することはできない。どんなにラディカルであっても、持つことが容認される政治的信念は、あくまでエリートたちによって規定された範囲内のみだと。

私の事務所は欧州委員会本部から数歩の距離にあり、この灰色とガラスでできた堂々とした建物の前を、私は毎朝自転車で横切る。この場所は、今や軍人や民間の警備会社によって守られている。私はよく、彼らの仕事は一体何なのか考える。人民を守ることか、建物の中の人間を守ることか、場所自体を守ることか、それともこの場所が体現する概念やイデオロギーを守ることだろうか？

今朝、反緊縮デモの真っ只中にあるギリシャの様子を見て、「ヨーロッパ」そのもののあり方が問われているように映った。あらゆる種類の人々が路上に出て、声を上げ、旗を掲げ、暴動を起こしていた。組織化する人々。地域ごとの集会や、ボランティアによる診療所が見えた。アクロポリス、エクサルキア地区、シンタグマ広場が見えた。オリーブの木が見えた。太陽が見えた。「デモクラティア」[▼1]が見えた。民衆による統治と権力という、今日の世界ではほとんど意味が失われてしまった概念。ヨーロッパの「大物たち」（ドイツ、フランス、イタリア、欧州中央銀行、欧州委員会）にとってこの概念は、彼らの描く世界地図や計画から乖離しない場合においてのみ有効とされ、称賛される。ギリシャでの画期的で形勢を一変させるような選挙でヨーロッパ初の左派・反緊縮のシリザ党が政権を握ることになってからの数ヶ月間、これら「大物たち」はそれが確実に崩壊し、消え去るよう仕向けている。重大なのはこの政党のみならず、そのメッセージ、党が体現している思想までもが脅かされていることだ。それは、我々は異なる社会のあり方を集合的に実現することが可能である、つまりテクノクラートや銀行や企業に代わり、99パーセントの人々がお互いを統治することが可能であるという考え方のことである。私がこれを執筆している最中も、ギリシャ全土の路上や家庭で表現されている希望こそが、ムーヴメントと呼ばれるものである。一般のギリシャ人の物質的な豊かさが、急激に失われていく中で生まれたムーヴメントだ。しかし、そこにはあらゆる人に向けたメッセージも含まれている。人々が団結することによる下からの民主主義が少数独裁政治に挑戦し、拘束された移民を解放し、ファシズムを打倒し、平等によって自由を実現することは可能であるということだ。

権力者が私たちに送ってくるメッセージはこうだ、「従え、集団的自由を求めようものなら、集団的処罰を科す」。ヨーロッパの場合、その暴力は緊縮財政と国境における難民の生命の軽視、海上緩衝ゾーンでの彼らの溺死という形で表れている。アメリカの場合、抑圧と入植者植民地主義から引き継がれてきた永続的な白人至上主義によって、黒人と先住民の生命は組織的に脅かされている。それはドローンの力を借りて、何百万人もの人々の領土とアイデンティティを剝奪し、大量収監によって人々の「非人間化」を進め、先住民の命の大切さと地球環境の重要性を軽視し、資源を奪取している。私たちを取り巻く身近な環境においても、そんなことは気にするな、集団化するな、対立するなと言い続けている。

▼1 ギリシャ語で直接民主主義の意。

アンジェラという人

私たちにできることは何だろうか？　何をどうすればいいのか？　誰と？　どのような戦術を用いるべきか？　残虐行為を容認してしまうほど脱政治化が進んだ一般市民をも巻き込むような、誰もがアクセスできる戦略をどう形作っていけばいいのか？　私たちのビジョンは何か？　どうすれば「私たち」は「すべての人」に語りかけることができるのか？　持続可能な、国境を越えた、そしてラディカルな運動をどのようにして作り上げ、結びつけることができるのか？　これらは、多くのアクティヴィストが日々自問していることであり、これからの未来を形作っていく、現在に根ざした問いである。

落胆し、ただ手放してしまうことは簡単だ。恥じることではない。結局のところ我々は、主流の政治的枠組みの中や、マスメディアのプリズムを通して見れば、到底勝てる見込みのない闘いに従事している。しかしその一方で、一歩引いて、より広い角度から世界中で起こっていることやこれまでの闘争、連帯運動の歴史を振り返ってみると、一見不滅に見える強大な力が、人々の意志の力、犠牲、行動によっていとも簡単に打破されることもあるということが明確になる。

アンジェラ・デイヴィスと共に書籍を制作しようと思い立った当初、私の第一の目標は、アクティヴィストとして我々の「闘争」について伝えることだった。その意味を現実的かつ具体的な言葉で明らかにし、それが闘いに従事している人々にとってどのような意味を持つのか理解するよう努めることだった。それらはどこで、どのようにして始まるのか？　終わりはあるのか？　ムーヴメントを構築するための最も重要な基盤とは何か？　その物理的、哲学的、心理的な意味は何か？　私にとって、この闘争についてアンジェラと議論することは不可欠だった。私だけでなく多くの人々にとって、知識とインスピレーションの源であるアンジェラから、彼女の経験から、我々は学び、その教訓をそれぞれが携わる闘いに生かしていく必要がある。アンジェラは決して立ち止まることなく、今も毎日、闘争の日々を送っている。彼女はレジスタンスの体現者であり、彼女の継続的な活動と存在そのものが、今日の集団的な解放運動の多くに反映され、インスピレーションとなっている。それは、奴隷制と資本主義に根ざした産業複合体の一部として刑務所を理解することや、アボリション運動の拡大に表れている。それはまた、彼女が支援してきたパレスチナを含む世界各地の反植民地主義闘争、私自身のような多くのアクティヴィストが参加してきた現場での連帯アクティヴィズムにも表れている。

この本の構想は、私がノーム・チョムスキーとイラン・パペと共に編集した以前の書籍[2]と同様に、会話のような流れを作った上で、アンジェラによるさらに掘り下げた内容の論文を加えることで、我々の対話の隙間を埋め、対話をさらに拡張させる余地を残すことだった。

ファーガソンの抗議運動が勃発した直後にブリュッセルで行ったものや、マイケル・ブラウンを殺害した警官を陪審員が釈放した直後にパリで行ったものなど、私が行った複数のインタビューの重要な焦点は、今日最も緊急の解決を要する課題——我々の、運動《ムーヴメント》として、また人としての立ち

▼2　Frank Barat, Noam Chomsky, Ilan Pappé『On Palestine』(2015).

位置を明確にせざるを得ない課題——の一つであるパレスチナを中心に、真にグローバルで社会的なムーヴメントを構築するにはどうすればいいのか、ということだった。他の様々な社会的闘争との関係性をどのように築いていくかに注目した。ファーガソンの人々に、パレスチナで起きていることは彼らの問題でもあり、また彼らに起こっていることはパレスチナの人々の問題でもあるということを、どのように説明すればいいのか？　地球上の誰もが果たすべき役割を持ち、その役割を理解しているような、真にグローバルな闘争を育てていくにはどうすればいいか？　軍事化が進む社会には、どのように集団的に対処していくのか？　このプロセスにおいて、黒人フェミニズムが果たせる役割は何か？　今日、刑務所廃止論者であることは具体的に何を意味するのか？

インタビューでは、このような論点を取り上げ、さらに広げている。そのうちのいくつかは、アンジェラによる力強い論文とスピーチでさらに掘り下げられ、特にファーガソンとチャールストンでの正義のための闘争に触れながら、平等と自由のための闘争がまだ終わってはいないこと、そしていかにそのための長い道のりを歩んできたかが論じられる。

本書を締めくくる最後の2章は、60年代から現在のオバマ政権時代までの政治闘争の歴史と、国境を越えた連帯についてのアンジェラの考察である。これらは、多くの人を闘いに立ち上がらせるための手段と論拠を提供し、さらに周囲の人々を活動に参加するように動機づけるに違いない、画期的な内容である。

「アンジェラは奇跡だ」と、アメリカの作家であり、詩人であり、活動家でもあるアリス・ウォーカーはある日私に言った。アンジェラが唯一無二であるだけでなく例外的なのは、彼女とその活動が手本となり、その信念を受け止めさらに拡大していく新たな声、新たな学者、新たなアクティヴィストを育てているところだ。アリスがアンジェラを奇跡と呼んだのは、アンジェラが集団的連帯を呼びかけることによって、企業権力や一重要人物という個人の破壊に固執してきた国家権力の総力を挙げた抑圧を生き延び、立ち向かい、打ち勝つことが可能であることを実証した生き証人であるという意味でだと思う。彼女は、民衆の力が世界を動かすこと、異なる世界が可能であること、美しく爽快な闘争もあり得ることを裏づける、生きる証だ。人間として、我々もそれを経験する必要がある。

そして、この闘争には、誰でも参加する勇気を持つことができる。

ブリュッセルにて　２０１５年６月

第１章　資本主義的個人主義に対抗する集団的闘争

フランク・バラットによるインタビュー（２０１４年の数ヶ月にわたりＥメールで行われた）

あなたはよく、個人についてよりも、集団的《コレクティヴ》パワーや運動《ムーヴメント》について語ることの重要性を強調しています。現在の利己と個人主義を促進する社会において、どうすればそのような倫理観に基づいた運動を構築できるでしょうか？

グローバル資本主義と新自由主義《ネオリベラリズム》に関連するイデオロギーが台頭して以来、個人主義の危険性を見極めることの重要性が特に増しました。人種差別、抑圧、貧困といった問題に焦点を当てた進歩主義的《プログレッシヴ》な闘争は、陰湿に推進される資本主義的個人主義に対抗する意識を発達させなければ、失敗する運命にあります。ネルソン・マンデラ氏が自らの功績は集合的な成果であり、彼の仲間であった男性や女性たちによって達成されたものであると常に主張していたにもかかわらず、メディアは彼を英雄的な個人として神聖化しようとしました。同様のプロセスが、20世紀中期アメリカの自由運動《フリーダム・ムーヴメント》の核心にいた大勢の女性や男性の活動家たちから、マーティン・ルーサー・キング・ジュニア博士だけを切り離そうとしてきました。今日の人々が、拡大し続ける闘争のコミュニティの中で、潜在的な担い手として自らの役割を認識するためには、歴史が英雄的な個人の功績として記述されることに抵抗しなければなりません。

ブラック・パワー・ムーヴメントが、今日に残したものは何でしょうか？

私はブラック・パワー・ムーヴメント（当時、私たちが黒人解放運動と呼んでいたもの）を、黒人が自由を追求する中で経験した特別な時期であると捉えています。それは多くの点において、公民権運動の限界として現れた問題への対応でした。既存の社会における法的権利を主張するだけでは不十分で、仕事、住宅、医療、教育などの実質的な権利を要求し、社会構造そのものに挑戦する必要があったのです。このような要求と、人種差別的な収監、警察による暴力、資本主義的搾取に対する要求を、ブラックパンサー党（Black Panther Party: BPP）▼1は「10項目綱領」にまとめています。黒人の個人は経済的、社会的、政治的な階層に参入していきましたが（その最も劇的な例は2008年のバラク・オバマの大統領当選です）、圧倒的な数の黒人は公民権運動以前の時代よりもはるかに広範囲な、経済、教育、収監における人種差別を受けています。BPPの「10項目綱領」の要求は多くの点において、それが最初に策定された1960年代と同じくらい、あるいはそれ以上に、現在の状況にも直結しています。

バラク・オバマの当選は、人種差別に対する勝利として人々に祝福されました。あなたは、これは煙幕だったと思いますか？　より公平な世界のための闘いに関わってきた、アフリカ系アメリカ人を含む左派を、実質的に長い間麻痺させてしまったと思いますか？

オバマ当選の意義にまつわる多くの仮定、特に黒人男性がアメリカの大統領になったことは人種差別の「最後の砦」の崩壊を象徴しているとするものは、完全に間違っています。し

▼1　1966年にカリフォルニア州オークランドでヒューイ・P・ニュートンとボビー・シールによって、警察による不当な暴力から黒人コミュニティを防衛するために結成された政治組織。1965年に暗殺されたマルコムXなどの影響を受け、黒人の武装を呼びかけていたことや、思想的には共産主義を掲げていたうえに、急速にその支持基盤を拡大させていったことからエドガー・フーヴァー長官の指示でFBIから執拗な弾圧を受け、主要な党員は次々と逮捕、投獄、殺害された。1970年代以降も主にコミュニティの奉仕活動を行う組織となっていた。日本では当時、黒豹党支援日本委員会が存在し、『すべての権力を人民へ――黒豹党は闘いつづける』（現代書館）が出版されている。

かし、当選したこと自体は重要であったと思います。なぜなら、当初ほとんどの人々（大半の黒人を含む）は、黒人を選挙で大統領に選出することが可能だと信じていなかったからです。若者たちがムーヴメント（この場合はサイバー運動と言った方がいいかもしれません）を効果的に生み出したことによって、それまで不可能であるとされていたことを実現しました。

問題は、この運動に関わっていた人々がその集団的なパワーを行使し、オバマ大統領をより進歩主義的な方向に突き動かしてしていく圧力をかけ続けなかったことです（例えば、アフガニスタンでの軍事作戦への反対、グアンタナモ収容所の迅速な解体、より優れた医療保険制度の確立などに向けて）。私たちはオバマに批判的ではありますが、それはホワイトハウスにロムニーが着任した方が良かったという意味でないことは、強調しておく必要があるでしょう。この5年間、私たちに欠けていたのは正しい大統領ではなく、きちんと組織された民衆運動だったのです。

「ブラック・フェミニズム」をどのように定義しますか？　そして、それは現代社会でどのような役割を果たすことができるでしょうか？

ブラック・フェミニズムは、人種、ジェンダー、階級が私たちの住む社会において不可分であることを示す、理論的かつ実践的な努力から生まれました。それが出現してきた当時、黒人女性は、黒人運動《ブラック・ムーヴメント》と女性運動のどちらがより重要だとして選択するのかを頻繁に問われました。でも、その問いが間違っていたのです。より適切な問いは、この二つの運動の交差する部分や相互関係をどのように理解すべきか、というものでした。私たちは今も、人種、階級、ジェンダー、セクシュアリティ、国家、能力などが複雑に絡み合っていることをどう理解するか、さらにこれらのカテゴリーに囚われることなく、一見別々で無関係に見える考えやプロセスの相互関係をどう理解していくか、という課題に直面しています。アメリカにおける闘争と人種差別と、イスラエルによるパレスチナ人弾圧に反対する闘争との関連性を主張することは、この意味からフェミニズムのプロセスなのです。

あなたは、我々の「指導者」が代表制民主主義と呼ぶ概念、および主要な政党を人々が完全に手放す時が来たと思いますか？　金と欲に支配されたこのような腐敗したシステムに関与することは、それに正当性を与えていることになりますよね？　この茶番に参加すること、つまり投票することすら止めて、ボトムアップで新しい有機的な体制を作り上げてはどうでしょうか？

確かに私は、既存の政党が私たちの主要な闘争の場になり得るとは思いませんが、選挙という場はそれを組織化するための機会として利用できると考えます。アメリカには、反人種差別主義《アンチレイシスト》でフェミニストの労働党という、独立した政党が非常に長い間必要とされてきました。また、草の根のアクティヴィズムがラディカルな運動を構築する上で最も重要な要素であるという点については、全くあなたの言う通りだと思います。

アラブ世界はここ数年、多くの国で革命が起きており、とてつもなく大きな変化を遂げています。西側社会において私たちは、自分たちの国内で起こっていること、またアラブ世界の独裁政権に我々の「指導者」が関与していることに目を向けることなく、これを祝福しているように見えます。西側諸国においても、私たち自身が革命を起こす時が来ていると思いませんか？

私たちはその要求を自分たちに向けるべきなのかもしれません。アラブ世界の人々が、私たちに西側諸国の政府が抑圧的な政権、特にイスラエルへの支援を阻止するよう要求するのは当然だと思います。いわゆる「対テロ戦争」は、アメリカ、ヨーロッパ、オーストラリアにおけるムスリム差別の激化など、世界に計り知れないダメージを与えてきました。北の先進国《グローバル・ノース》の進歩主義者として、私たちはアラブ世界の人々に対する軍事的・イデオロギー的攻撃が継続している状況に対し、重大な責任を負っていることに無自覚であるのは確かです。

先日、あなたはロンドンでパレスチナ、G４S（Group 4 Security［世界最大の民間警備会社］）、そして産獄複合体についての講演をされました。この三つはどのように関連しているのか教えてもらえますか？

治安維持と安全保障国家の名の下に、G４Sという企業は世界中の人々、特にイギリス、アメリカ、パレスチナの人々の生活の中に自らを浸透させてきました。この会社は、ウォルマートとフォックスコンに次ぐ世界で３番目に大きな民間企業であり、アフリカ大陸では最大の民間雇用主です。同社はこれまでイスラエルおよび世界中の人種差別、反移民行為、刑罰のテクノロジーから利益を得る方法を習得してきました。G４Sは、パレスチナ人の政治犯受刑者が経験すること、入植地の分離壁、南アフリカの刑務所の懲役、米国のまるで刑務所のような学校、米国とメキシコの国境沿いの壁などに、直接的な責任を負っています。驚くべきことに、G４Sは英国で性的暴行被害者の施設まで運営していることをロンドンでの会議で知りました。

産獄複合体はどれほどの利益を上げているのでしょうか？　よく「現代の奴隷制度」に相当する

と言われています。

Ｇ４Ｓの例が如実に示すように、グローバルな産獄複合体は拡大を続けています。その事実から、収益性は増大していると推測できます。そこには、公立・私立の刑務所だけでなく（予想以上に民営化が進んでいる公立刑務所はますます利益追求の対象となっている）、少年院、軍事刑務所、取り調べ施設なども含まれるようになってきました。さらに、民間の刑務所ビジネスの中でも最も収益性が高い部門は、移民収容所です。このことから、なぜ米国で最も抑圧的な反移民的法律を起草したのが、あからさまに利益の最大化を目論む民間の刑務所運営会社だったのか理解することができます。

監獄や刑務所のない社会はユートピアでしょうか、それは実現可能でしょうか？　可能だとすればそれはどのように機能するのでしょうか？

私は、刑務所のない社会は現実的な未来の可能性であると考えていますが、それは利益ではなく人々のニーズが原動力となるよう変容した社会においてです。同時に、刑務所廃止がユートピア的に見えるのは、刑務所とそれを支えるイデオロギーがそれほど深く現代社会に根付いているということです。アメリカでは約250万人という膨大な数の人々が刑務所に収監されており、人種差別、貧困、失業、教育の欠如といった根本的な社会問題の解決を回避するための戦略として、投獄という手段がますます使われるようになっています。これらの問題に対する根本的な取り組みはなされていません。刑務所が間違った解決策であることを人々が理解し始めるのは時間の問題でしょう。廃絶主義《アボリシヨニズム》の主張は、質の高い教育、反人種差別的な雇用戦略、医療の無料化、その他の進歩主義的な運動の要求と共にすることが可能であり、またされるべきです。それは、反資本主義的な論評と社会主義に向けた運動の促進にも役立ちます。

産獄複合体の急成長は、私たちの社会をどう反映しているのでしょうか？

世界中で鉄格子の中に収監されている人々の数が急増しており、彼らを監禁する手段の収益性が増大していることは、グローバル資本主義の破壊的傾向の最も劇的な例の一つです。しかし、大量収監がもたらす不道理な利益は、本来は誰もが無償で利用できるべき医療、教育、その他の商品化されてしまった福祉サービスにおける利益とも結びついています。

数年前に公開されたブラックパンサー／ブラック・パワー・ムーヴメントのドキュメンタリー映画『ブラックパワー・ミックステープ～アメリカの光と影～』の中のシーンで、ジャーナリストがあなたに「暴力を認めるか」と尋ねるシーンがあります。それに対し、あなたは「私に暴力を認めるかどうかを問うことは、意味をなしていない」と答えています。詳しく説明してもらえますか？

私が指摘しようとしたのは、暴力の正当性についての問いは、暴力を独占している機関、つまり警察、刑務所、軍隊に向けられるべきであるということです。私は、クー・クラックス・クランが黒人コミュニティに対して行っていたテロ攻撃が、政府に容認されていた時代のアメリカ南部で育ったことを説明しました。私が投獄され、殺人、誘拐、共謀罪の容疑で不当に起訴され、制度的暴力の標的にされていた時に、私が暴力に賛成するかどうかを問われた。実に奇妙なことです。私はまた、革命的変革を提唱することは、暴力を主題としているのではなく、貧しい人々や有色人種の人々のより良い生活状況といった実質的な問題についてであることを指摘しようとしました。

今では、多くの人があなたをBPP党員であったと思っていますし、創立メンバーの一人だと思っている人もいます。具体的にはどのような役割を担ったのか、実際にはどのように関わっていた

のか教えてもらえますか？

私はＢＰＰ党の創立メンバーではありませんでした。ＢＰＰが結成された１９６６年、私はヨーロッパに留学していました。１９６８年に共産党に入党した後、ＢＰＰ党のメンバーにもなり、ロサンゼルス支部で政治教育を担当していました。しかしある時、指導部がＢＰＰメンバーは他の政党に所属することはできないと決定したので、私は共産党に所属することを選択しました。しかし、私はその後もＢＰＰを支持し、活動を続けました。私が投獄された時、私の自由のために最も力を尽くしてくれたのがＢＰＰ党でした。

あなたの、暴力に関する回答に戻りますが、ドキュメンタリーでのあなたの発言を聞いて、私はパレスチナのことを想起しました。国際社会や欧米のメディアは、パレスチナ人が暴力を止めることを前提とし、それを常に求めます。この、虐げられている者が迫害者側の安全を確保しなければならないという言説が支持されている傾向を、どう説明しますか？

暴力の問題を前面に出すことは、必然的に正義を求める闘争の中心にある問題を覆い隠すことになります。これは南アフリカの反アパルトヘイト運動の時にも起こりました。興味深いことに、我々の時代の最も重要な平和擁護者として神聖視されてきたネルソン・マンデラ氏は、２００８年まで米国のテロリスト・リストに掲載されていました。自由と自決を求めるパレスチナの闘争における重要な問題は、イスラエル政府による隔離政策に対するパレスチナの抵抗とテロリズムを同一視しようとする人々がそれを矮小化し、見えなくさせていることです。

最後にパレスチナを訪れたのはいつですか？　どのような印象が残りましたか？

２０１１年６月に、私は先住民と有色人種の女性フェミニスト学者／活動家の代表団と共にパレスチナを訪れました。代表団には、南アフリカのアパルトヘイト、ジム・クロウ法時代のアメリカ南部、インディアン居留地で育った女性などが含まれていました。私たちは皆、それまでパレスチナ連帯活動に携わってきたにもかかわらず、目にしたものに完全なショックを受け、我々の支援者にも「ボイコット、投資撤収、制裁（Boycott, Divestment, Sanctions: BDS）」運動[2]に参加するよう働きかけ、パレスチナ解放を求めるキャンペーンを強化することを決議しました。直近では、我々の何人かは米国アメリカ学会による学術的・文化的ボイコットを要請する決議案の可決に関与しました。また代表団のメンバーは、アメリカ人学者がパレスチナの大学で指導や研究をするために西岸地区へ入国することを拒否してきたイスラエルを非難する、米国現代語学文学協会による決議の可決にも関与しました。

人種差別的あるいは植民地主義的な体制下、または他国の占領下で抑圧されている人々にとって有効な抵抗の手段は、（ジュネーブ諸条約第一追加議定書によると）武力行使を含め様々なものがあります。今日では、パレスチナ連帯運動は、非暴力抵抗という手段に取り組んでいます。これだけでイスラエルのアパルトヘイトを終わらせることができると思いますか？

連帯運動は当然のことながら、その性質上非暴力です。南アフリカでは、国際的な連帯運動が組織されていた時でさえ、アフリカ民族会議（African National Congress: ANC）と南アフリカ共産党（South African Communist Party: SACP）は、自分たちの運動に武装下部組織が必要だという結論に達しました。「ウムコント・ウェ・シズウェ」です。彼らには、そのような決定を下すあらゆる権利がありました。同様に、パレスチナの人々が、彼らの闘争を成功させ

▼2　イスラエルに対し、国際社会から経済的な圧力をかけることによって占領や人種差別に抗議する運動を展開するパレスチナ解放支援運動。

る可能性が最も高いと思われる方法を採用することは、彼らの判断に委ねられています。同時に、ＢＤＳキャンペーンが尽力しているように、イスラエルが政治的にも経済的にも孤立すれば、イスラエルが隔離政策の実施を継続できなくなるのは明らかです。例えば、米国の私たちが、イスラエルに対する１日あたり８００万ドルの資金援助を停止するようオバマ政権を動かすことができれば、これは占領を終了するためにイスラエルに圧力をかける長い道のりを前進することになります。

あなたはパレスチナの政治犯であるマルワン・バルグーティ[3]およびすべての政治犯の釈放を求める委員会の一員です。彼ら全員が釈放されることはどれほど重要なのでしょうか？

マルワン・バルグーティとイスラエルの刑務所に囚われているすべての政治犯を釈放することは絶対不可欠です。バルグーティは20年以上の歳月を獄中で過ごしてきました。彼の苦境は、大多数のパレスチナの家族には、最低1名はイスラエル当局に投獄されている者がいるという事実を反映しています。現在、パレスチナ人受刑者の数は約５０００人に上っており、１９６７年以来、全男性人口の40パーセントに当たる80万人のパレスチナ人がイスラエルによって投獄されています。すべてのパレスチナ人政治犯釈放の要求は、占領を終了させる要求の中でも鍵となる要素です。

バークベック大学での講演の中で、あなたは、パレスチナ問題はグローバルに認識される必要があり、正義のために闘うあらゆる運動は、その過程や課題に組み込むべき社会問題であると言いました。これはどういう意味でしょうか？

南アフリカのアパルトヘイトを終わらせるための闘いが世界中の人々に受け入れられ、様々な社会正義を求める活動の課題として組み込まれたのと同じように、パレスチナとの連帯も世界中の進歩主義的な活動に関わる組織や運動の一部として組み込まれなければなりません。これまでの傾向として、パレスチナは孤立した問題、そして残念なことに多くの場合、疎外された問題であると考えられてきました。今こそ、平等と正義を信じるすべての人に、パレスチナの解放を求める呼びかけに参加するよう促す時です。

▼3　イスラエルの占拠に対するパレスチナ住民の組織的な抵抗運動である、インティファーダを第一次、第二次共に指揮したとされる政治指導者。ファタハ党傘下の武装組織タンジムのリーダーであり、イスラエルは彼をテロリストと認定している。２００４年にイスラエル法廷によって殺人などの罪で５重の終身刑を受け服役中だが、今なお強い影響力を持つ。

この闘争に終わりはないのでしょうか？

私は、我々の闘争が成熟するにつれ、新たなアイデア、新たな問題、そして自由の探求のための新たな地平が現れてくると思っています。ネルソン・マンデラ氏のように、自由への長い道のりを、私たちは進んで受け入れなければなりません。

第2章 ファーガソン事件が示したグローバルな文脈

ブリュッセルで行われたフランク・バラットによるインタビュー（2014年9月21日）

ファーガソンでの出来事[1]を受けて、あなたはミシェル・アレクサンダーの著書『The New Jim Crow』[2]の論考をどのように捉えていますか？

ミシェル・アレクサンダーによる〔米国の〕大量収監についての著作は、まさに産獄複合体に対する抗議運動の組織化がピークに達したタイミングに刊行されました。この本はベス

▼1　2014年8月、ミズーリ州ファーガソンで18歳の黒人青年マイケル・ブラウンが自宅近所での買い物帰りに白人警官に殺害された事件。大規模な抗議運動が起こった。

▼2　Michelle Alexander『The New Jim Crow: Mass Incarceration in the Age of Colorblindness』(2010). アメリカにおける黒人および有色人種の大量収監は、形を変えた人種隔離政策（ジム・クロウ法）であると論じた書籍。

トセラーとなり、大量収監および産獄複合体に対する闘争を、非常に重要な形で普及させました。言うまでもなく20世紀中期の黒人運動《ブラック・ムーヴメント》が公民権を求める中で葬り去ろうとしていた対象そのものを、再び構成するものとして、彼女が大量収監について議論したことは極めて重要です。

ファーガソン事件は、これらの問題について私たちが考える際、グローバルな視点が必要であることを再認識させてくれました。私がこの著作を友好的に批判するならば、そこにグローバルな文脈、つまり国際的なフレームワークが欠けている点を挙げます。ただ、彼女も自らこのことは指摘しているので、本人が把握していないわけではありません。彼女は多くの講演の中で、大量収監を生み出している装置の仕組みを理解するためには、より広範でグローバルな文脈も知ることが必要であると説明しています。

なぜ、ファーガソン事件はグローバルな文脈の重要性を再認識させるのか。それは、マイケル・ブラウン殺害事件後に自発的に噴出した抵抗《レジスタンス》に対し、いかに地方警察署が軍事的武器、軍事テクノロジー、軍事訓練を装備していたかを露呈する、武力による警察の応戦を私たちは目撃したからです。この警察の軍事化は、イスラエルとその警察の軍事化を連想させるものでした。もしデモ参加者の姿が映されることなく警察側だけの映像が流れていたら、ファーガソンをガザと見間違えた人もいたかもしれません。「対テロ戦争」が推し進められるようになってから、アメリカ中の警察署が「テロと闘う」ための手段としてどれほどの装備が進められてきたのかを認識することは重要だと思います。

非常に興味深いことに、ファーガソン事件の解説の中で誰かが、警察の本来の目的は市民の保護と奉仕であることを指摘していました。少なくとも、それが彼らの標語となっています。これに対し、兵士は殺人のための射撃訓練を受けます。ファーガソン事件はこの矛盾を明白に示しました。

ロンドンに10年間住みましたが、道で警官を見かけるたびに不安になりました。彼らは形式上「公務員（市民に仕える者）」ですが、この任務を果たしていません。アメリカでは警察が軍事化されているという話が出ましたが、フランスのパリでガザのためのデモが行われた際、路上にいたのは市民に仕える者ではなく、機動隊でした。まるで「ロボコップ」のように見える人たちです。このこと自体が暴力を暗示し、生み出しています。

まさにその通りです。それが私の論点です。イスラエル警察がアメリカ警察の訓練に関与してきたことを指摘しておくことも重要かもしれません。また、米軍とイスラエル軍は協力関係にあります。ですから、私たちが、パレスチナとの連帯運動を組織しようとする際、イスラエル国家に挑戦しようとする際、それは単に私たちの闘争をどこか離れた別の場所に集中させることではありません。アメリカ国内のコミュニティの出来事にも関係しているのです。

我々はよく、占領の再生産について話します。パレスチナで起きていることは、ヨーロッパやアメリカなどでも再生産されている。この闘争がいかにグローバルなものであるかを人々に理解してもらうためには、それらの繋がりを示すことが重要です。あなたの考えでは、ファーガソンは孤立した事件だと思いますか？

全くそうは思いません。我々のように民衆運動の構築に参加しようとしている者にとって、最近の警察や自警団による殺人事件が、国内のみならず国際的にも広く知られるようになったことは幸運だったと言えます。トレイヴォン・マーティンの事件は、もちろん氷山の一角に過ぎません。マイケル・ブラウンの事件も同様です。この種の対立、暴行、殺人は、大都市でも小都市でも、全国規模で常に起こっています。だからこそ、これらの問題を個人レベルで解決できると考えることは間違いなのです。

マイケル・ブラウンを殺した警官の起訴さえ保証すればいいという思い込みは、間違いです。現在の大きな課題は、国家的暴力の構造的な性質についての意識を高め、それを自発的な運動として立ち上がらせることです……運動は組織化されていますが、それが一つのムーヴメントであると言えるかどうかはまだ分かりません。しかし、このような自発的な反応は、これから何度も繰り返し起こることが分かっていますから、やがて組織化され、継続的なムーヴメントになっていくのではないでしょうか。

マーティン・ルーサー・キングとマルコムXの時代から50年以上経った今でも、黒人とラテン系の人々が標的にされているという現実は、黒人公民権運動について何を物語っているでしょうか？黒人公民権運動は失敗したのか、それとも継続的な闘争であることを意味しているのでしょうか？

黒人や有色人種に対する国家的暴力の使用は、公民権運動よりもずっと前の時代、つまり植民地化と奴隷制を起源としています。トレイヴォン・マーティン事件の抗議運動中に指摘されたのは、警察官を志していた「自警団員」のジョージ・ジマーマン〔加害者〕が、「奴隷パトロール」の役割を再現していたということでした。当時も今も、武装した国家の代表者は、民間人を利用することによって国家的暴力の遂行を補完しているのです。

ですから、公民権運動の時代で区切るのではなく、奴隷制に端を発する慣行は公民権運動だけでは解決されていないと認識すればいいのです。以前と同じようにリンチやクー・クラックス・クランの暴力を経験することはもうないかもしれませんが、国家的暴力、警察による暴力、軍事的暴力は依然としてあります。そして、ある程度の範囲内でクー・クラックス・クランもまだ存在しています。

これは、公民権運動が成功しなかったことを意味しているわけではありません。公民権運動は、それが達成したことの範囲内では素晴らしい成功を収めました。人種差別の法的根絶と隔離装置の解体です。これが起こったことの重要性を過小評価すべきではありません。ただ問題は、法制度の撤廃が、人種差別の根絶と同義であるという思い込みが多いことです。しかし、レイシズムは法的枠組みよりもはるかに広範囲で、はるかに広大な枠組みの中に存続しています。

経済的人種差別も存在し続けています。レイシズムは、軍、医療制度、警察を含む、あらゆる主要制度のあらゆる水準で発見することができます。

私たちの社会構造にここまで深く根付いている人種差別を根絶するのは、簡単なことではありません。だからこそ、個人による人種差別的行為を超えた理解の分析を展開することが重要であり、加害者個人の起訴を超えた要求が必要なのです。

法的なアパルトヘイトは終わっても、経済的・社会学的なアパルトヘイトがまだ存在している南

アフリカを思い起こさせます。ラッセル法廷[3]のためにケープタウンに滞在していた時、毎朝道端の角で有色人種の人々が、時給3ドルの日雇い仕事の雇い主の迎えを待っている姿を見て衝撃を受け、ゲットー[4]やシャンティタウンにもぞっとしました。ケープタウンで一番きれいなビーチ沿いを車で走った数分後には、まるでムンバイにでもいるかのようになります。

南アフリカの興味深い点は、アパルトヘイト時代は歴然と黒人が完全に排除されていた指導的地位、警察内の階層を含めたその多くが、今では黒人によって占められているという事実です。私は最近、警察による攻撃を受け、負傷し、多くの人が殺されたマリカナ鉱山労働者[5]の映画を見ました。鉱夫たちは黒人で、警察部隊も黒人で、州の警察署長も黒人女性でした。国家警察長官も黒人女性です。それにもかかわらず、マリカナで起こったことは、多くの重要な点で、シャープヴィル事件[6]の再現でした。レイシズムの危険性は、それが必ずしも

▼3　国際民衆法廷の一つ。元々はベトナムにおけるアメリカの戦争犯罪を裁くために哲学者ラッセルの提唱で、哲学者サルトルを裁判長として開かれた。イスラエルの占領と隔離政策の国際法上の問題を議論する「パレスチナ問題に関するラッセル法廷」は2009年に設置され、2014年まで6回開催された。
▼4　貧民街、スラム街。
▼5　2012年に鉱山労働者が起こしたストライキが武装衝突に発展し、多数の死傷者が出る事件となった。
▼6　1960年にヨハネスブルグで発生した、黒人民衆抗議運動の参加者が多数警察に虐殺された事件。

個々の行為者ではなく、装置の中に深く埋め込まれているところにあるのです……。

そして、装置の中に一度取り込まれてしまうと……。

そうです。国家警察のトップが黒人女性であっても関係ありません。テクノロジー、体制、標的は同じままです。私が懸念するのは、人種差別が制度的な構造に埋め込まれていることを真剣に考えていかなければ、特定の人種差別主義的な個人だけが存在していると仮定し続けているのでは……。

いわゆる「腐ったリンゴ」[7]混入説ですね。

ええ、加害者探しに終始していては、永遠に人種差別を根絶することはできないのです。

あなたは「交差性《インターセクショナリティ》」という考え方の先駆者です。この考え方はどのように進化してきたのでしょうか？

言うまでもなく「インターセクショナリティ」という、人種、階級、ジェンダー、セクシュアリティの相互関係を認識しながら考え、分析し、組織化する取り組みは、この数十年間で大きく進化してきました。その中で私がやってきたことは、人種問題、階級問題、ジェンダー問題がそれぞれから切り離すことはできないという感覚を、個人単位の分析ではなく、ムーヴメントや集団的《コレクティヴ》活動の中に反映してきたことだと考えています。インターセクショナリティの先駆者は大勢いましたが、1960年代後半から70年代にかけてニューヨークに存在した「第三世界女性同盟（Third World Women's Alliance）」という組織のことを知っておくのは大事だと思います。この組織は『三重の危険《トリプル・ジョパディ》（Triple Jeopardy）』という名の新聞を発行していました。「三重の危険」とは、レイシズムとセクシズムと帝国主義のことです。この帝国主義とはもちろん、国際的な階級問題を指しています。多くの人々が、これらの問題をひとつに接合することを試みていました。私自身の著書『Women, Race and Class』（1981年）は、この時代に出版されたたくさんの本の中の一冊ですが、その他の例をほんの一部を挙げると、グロリア・アンザルドゥアとシェリー・モラーガが編集した『This Bridge Called My Back』（1981年）[8]、ベル・フックスやミシェル・ウォレスの著書、それにアン

▼7　「一部の例外的な悪人」を意味する表現。

ソロジー『All the Women Are White, All the Blacks Are Men, but Some of Us Are Brave: Black Women's Studies』〔1982年〕などがあります。

つまり、このインターセクショナリティという概念の背景には、これまでの闘争の豊かな歴史があるのです。ムーヴメント形成の中でアクティヴィストたちが交わしてきた会話の歴史、そして彼女たちと学者との間、また学者間の会話の歴史です。私がこのようなラディカルな運動の組織化に尽力してきた人たちが発展させてきた、認識論の系譜に言及するのは、インターセクショナリティという言葉から、アクティヴィズムの本質的な歴史が消し去られぬようにすることが重要だと考えるからです。我々の中には、学術的な分析ではなく、自らの活動の経験から、これらの問題を一つに接合する方法を見出す必要があると認識していた人たちがいた。これらの問題は、私たちの身体の中では切り離せるものではなく、闘争においても切り離されていなかったのです。

アクティヴィズムとこの頃以降に書かれたあらゆる記事や書籍の長い歴史を踏まえ、現在私が最も関心を持っているのは、闘争におけるインターセクショナリティの概念化です。当初、インターセクショナリティとは身体と経験にまつわるものでした。しかし今、国境を越えた様々な社会正義の闘争をひとまとめに語るにはどうすればいいでしょうか。ファーガソンとパレスチナの話をしてきましたよね。では、どうすればこれらの問題を共に考え、共に組織化できるような枠組みを本当に作ることができるでしょうか？

パレスチナに関するラッセル法廷のためにニューヨークを訪れた際、アメリカ先住民や黒人《ブラック・》運動《ムーヴメント》からも支持を得ようとしたのですが、非常に難しいことが分かりました。聴衆は８００人ほどいましたが、そのうち有色人種は５パーセント程度でした。

それまでの組織化プロセスで特にその人たちが必ずしも代表されていなかった場合、単に誘ったからといってすぐに参加してもらえるものではありません。人々がその特定の問題を自分たちの問題として認識するように、組織化戦略を立てる必要があります。私がミシェル・アレクサンダーについての質問の答えで提案したのがまさにこのことで、こうした繋がりは闘争そのものの背景としてあらかじめ示されておく必要があるのです。ですから、警察犯罪や警察による人種差別に対して組織化する際も、世界の他の地域と並行して起こっていることや類似点を常に提起しておかなければなりません。

▼8　アフリカ系アメリカ人のフェミニズム思想家、グロリア・ジーン・ワトキンスのペンネーム。著書に『ベル・フックスの「フェミニズム理論」──周辺から中心へ』（あけび書房）、『フェミニズムはみんなのもの──情熱の政治学』（エトセトラブックス）などがある。

類似点だけなく、構造的な繋がりにも言及すべきです。アメリカの警察の訓練や武装の仕方と、イスラエルの警察や軍隊との間には、どのような繋がりがあるのか、その認識を浸透させられれば、それについて考えるように促すことができます。

グローバルな視点を持つことですね。

その通りです。これが、多くの人々が南アフリカのアパルトヘイトとの闘いに共感し始めた理由の一つだと思います。「私たちも南アフリカの人たちに連帯を示さないと」という感覚とは異なります。自分たちとの共通点、繋がりが見え始めたからです。その認識が作られなければ、どんなにアピールしても、どんなに純粋に誘っても、それはあくまであなたの活動であり、彼らのものではないと思い続けるでしょう。

こうした繋がりを示すことが不可欠ということですね？　人々にみんなが隣人だということを理解してもらわない限り、人種差別はそこから始まります。黒人は白人と同じ遺伝子を持たないといった思想を抱いてしまう……。

パレスチナとの連帯運動を多角化することの必要性に関連して、私が考えてきたことの一つは、人は熱意を持つイシューには狭いフレームワークの中でアプローチしてしまう傾向があるということです。その関心対象が何であれ、人々はそうしがちです。しかし、パレスチナ連帯運動においては特にそれが顕著です。私の経験から言うと、パレスチナ問題に関わるためには専門家でなければならないと思い込んでいる人が多い。

そのせいで、「私にはよく分からない。とても複雑だから」と言って参加するのを敬遠してしまうのです。そして、彼らは紛争の歴史に精通し、オスロ合意などの失敗についての話や、いつそれらが起きて、なぜそれらが重要なのかを語る真の専門家や運動の代表者の話を聞き、自分にはパレスチナにおける正義を主張するのに十分な知識がないと考えてしまう。ですから課題は、正義を信じる人々にパレスチナ連帯運動に参加してもらうための入り口をいかにして作り、扉を開くかということです。

つまり複数のムーヴメントをどのようにして結びつけるかという課題は、どのような言葉を使いどのような意識を伝えるかという課題でもあります。私は、ムーヴメント間のインターセクショナリティを主張することが重要だと考えます。アボリション運動においては、アメリカ国内の刑務所解体運動に共感する人たちがパレスチナの占領を終わらせる必要性についても考えるよう、パレスチナについて語る方法を模索してきました。それは後付けではただめなのです。現在進行中の分析の一部でなければなりません。

アボリション運動といえば、私が子供たちと遊んでいる時の会話で気づいたことなのですが、息子が「ねえ、悪いことをしたら刑務所行きになるんだよ」と言ったのです。まだ3歳半の子です。この子でさえも、「悪いこと=刑務所」だと思っている。これはほとんどの人に当てはまる考え方です。それだけ、「刑務所の廃止《アボリション》」という考えを主張するのは難しいことでしょう。あなたはどこから始めますか？　そして、あなたはどのように刑務所改革に対し、刑務所廃止を主張しますか？

刑務所という制度そのものの歴史は、まさに改革の歴史です。フーコーもこのことを指摘しています。改革は、刑務所の出現した後に起こるのではなく、刑務所の誕生に伴って起こります。つまり、刑務所改革は常により良い刑務所を生み出すだけです。より良い刑務所を作り出す過程で、より多くの人々が、処罰・法執行機関ネットワークの監視下に置かれるようになりました。あなたが提起した質問は、刑務所や監獄という場所が物質的・客観的なものとしてだけでなく、イデオロギー的・心理的なものとして作用している範囲を明らかにしています。私たちは、悪人を収容する場所という概念を内面化しているのです。それこそがまさに、アボリション運動がこうしたイデオロギー的・心理的な側面にも対処していかなければならない理由の一つです。物質的な制度や施設を消し去るプロセスだけでは不十分なのです。

なぜその人は「悪い」のか？　刑務所はそれについての議論を排除します。その「悪さ」の本質は何か？　その人は何をしたのか？　その人はなぜそのようなことをしたのか？　暴力行為をした人のことを考えるのであれば、なぜそのような暴力が可能なのか？　なぜ男性は女性に対してそのような暴力行為をするのか？　刑務所の存在自体が、これらの行為の根絶の可能性を想像するために必要な、こうした議論の機会を排除しているのです。

刑務所に送り込め。刑務所に送り込み続けろ。という方針の結果として、彼らは刑務所という、暴力を再生産する暴力的な施設の中で過ごすことになります。多くの点において、この施設はその暴力を糧として暴力を再生産していると言えますから、受刑者は出所してもおそらくより「悪く」なっているでしょう。

では、人々に考え方を変えてもらうためにはどのように説得すればいいのか？　それは組織化の課題です。アメリカ国内では、アボリション運動は１９６０年代後半から70年代前半にかけて始まりました。投獄の撤廃を検討すべきだという考えの出現に大きく関わっていたのは、クエーカー教徒です。クエーカー教徒は、18世紀後半から19世紀初頭の刑務所の出現時から存在していました。彼らは元々、人々を更生させることができる刑務所は、それまでの刑罰の手段よりも、より人道的だと考えていたのです。

私は、1970年代には廃止《アボリション》が真剣に検討された瞬間があったと思います。それは「アッティカの反乱」▼9の頃で、著名な弁護士や裁判官、ジャーナリストなども、投獄以外の方法を真剣に考え始めました。言うまでもなく、最終的に振り子は反対側に振れましたが。これがある意味、刑務所の歴史そのものです。一方では、変化を求め、暴力を減らし、抑圧を減らし、改革と更生を求める声がずっとあったのです。しかし、それが上手くいったことはなかった。そして、もう一方では能力と権利の剥奪と、より懲罰的な統制を求める声がずっとある。結局のところ、構造は変わらないままです。

刑務所廃止を目指して活動していた人々を活発にさせていたのは、より大きな文脈を視野に入れるという考え方だったと思います。考えを犯罪と刑罰のことだけに限定してはいけない。刑務所を、犯罪を犯した人の処罰の場としてだけ捉えていてはいけない。私たちは、もっと大きな構造について考慮しなければならない。それは、なぜこれほど不均衡な数の黒人や有色人種の人々が収監されているのかを問うことを意味します。だからこそ、私たちは人種差別について話す必要があるのです。刑務所を廃止することは、人種差別を根絶しようとすることです。なぜこれほど文盲が多いのか？　なぜこれほど多くの囚人は読み書きができないのか？　これは、私たちが教育システムに関心を向けなければならないことを意味しています。アメリカの三大精神医療機関が、ニューヨークのライカーズ島刑務所、シカゴのクック郡刑務所、ロサンゼルスの郡刑務所内にあるのはなぜか？　これは、私たちは医療制度の問題、特に精神医療対策の問題について考える必要があるということを意味しています。私たちは、人々のホームレス状態を根絶する方法も考えなければなりません。

つまり、狭い枠組みで考えていてはだめなのです。私は、これまで刑務所や監獄の増加と発展を許してきてしまった要因はそこにあると思います。私たちは皆、犯罪を犯したら罰せられるべきだという考えを持ってきたからです。だからこそ我々は、「産獄複合体」を考えることによって、犯罪と刑罰の一般的な認識を解体しようとしてきたのです。マイク・デイヴィスは、この用語を最初に使った学者／活動家で、特にカリフォルニア州における監獄エコノミーの成長に関してこの用語を用いました。「クリティカル・レジスタンス（Critical Resistance）」[10]を設立したメンバーたちは、これが、人々が「悪人は処罰されるべきである」と

▼9　アッティカ刑務所暴動。ニューヨーク州アッティカ刑務所内の生活状況の改善を求め囚人たちが起こした暴動。職員を人質として交渉が行われたが、州知事が州兵を動員して制圧し、39名の死亡者が出た。

▼10　デイヴィス自身も創設メンバーの、カリフォルニア州オークランドを拠点に刑務所の廃止・解体を求め民衆運動を行っている草の根の活動組織。

いう観念から離れ、刑務所の経済的・政治的・イデオロギー的な役割に疑問を持ち始めるきっかけになると考えたのです。

大金儲けのビジネスであると。

完全に金儲けのビジネスです。

彼らには囚人が必要だということですね？

その通りです。特に刑務所の民営化が進む中で、民営化は刑務所の外にまで拡大してきています。刑務所業務は様々な民間企業へアウトソースされており、こうした企業は刑務所内の人口を増加させたいわけです。頭数が欲しい。より多くの利益を出したい。それを踏まえて政治家のやり方を見ると、実際の犯罪率にかかわらず、「法と秩序」のレトリックは常に有権者を結集するのに役立つことにも気づきます。

法律についても考えさせられます。私がオーストラリアに滞在した時、アボリジニ〔先住民〕の方

と話をしたのを思い出しましたが、オーストラリア中央部では「3回ストライクでアウト」という法律があった。3回ストライクとは、例えばある日パンを盗んだら1回、ペンを盗んだら2回、別のペンを盗んだら3回になるということです。アボリジニの中には、このような種類のストライクで投獄されている人がいる。最初はそんなバカな、と思いましたが、実際に多くの人々が本当に些細な犯罪で服役させられていることが分かりました。

刑務所という施設は今や世界中で、主要な社会問題を象徴する人々を格納しておく倉庫として機能していると言えると思います。アメリカの刑務所には黒人の数が不均衡に多いのと同じように、オーストラリアの刑務所にはアボリジニの数が不均衡に多い。このような人々を排除し、刑務所に収監することは、ヨーロッパにおいては移民問題への対処を免れる手段となっています。移民は言うまでもなく、グローバル資本主義や南の発展途上国《グローバル・サウス》の経済再編など、世界的な経済の変化による結果として、そこに住み続けることが不可能になったことで誘発されます。多くの点において刑務所は、現代の最も差し迫った社会問題への国家による対処の不能と拒絶を集約している制度であると言えます。

より良い社会を目指すアボリション運動について、改めて考えています。刑務所の廃止だけでは

ない、もっと壮大なものとして。

刑務所の廃止は中心的課題です。またアボリションの概念は、奴隷制の廃止《アボリション》について記したW・E・B・デュボイスから受け継がれたものです。彼は、奴隷制を廃止しても、奴隷制によって生み出された無数の問題を解決することはできないことを指摘していました。鎖を取り払うことはできても、それまで奴隷にされていた人々を民主的社会に参加させていくための制度を整備しなければ、奴隷制は撤廃されません。ある意味、我々の主張する刑務所廃止闘争は、19世紀の奴隷制廃止闘争の延長であるということです。アボリショニスト民主主義の闘争は、民主的な社会を真に可能にする制度の創造を目指しているのです。

刑務所内の受刑者についてはどうでしょうか？　代理人とその闘争、受刑者と彼ら自身の闘争について話してもらえますか？

社会正義《ソーシャル・ジャスティス》を目指す闘争を概念化する時、あなたが闘いを共にしている周囲の人々を対等なパートナーであると思えなければ、あなたの目的は必ず破綻します。従って、これはすべての改革運動に共通する問題点の一つですが、もし受刑者を単に他者からの慈悲の対象として見ているのなら、あなたは反刑務所活動《アクティヴィズム》の目的そのものを破綻させています。彼らの権利を守ろうとする過程で、あなたは彼らを下位な立場に押しやってしまっているからです。

受刑者が実際に参加しなければ運動は成り立たないということを、アボリション運動は学んできました。これは事実です。多くの受刑者が、これまで産獄複合体の廃絶という思考の発展に貢献してきました。受刑者の参加を保証することは必ずしも容易ではないかもしれませんが、受刑者の参加がなければ、受刑者を対等な存在と認められなければ、私たちは失敗する運命にあります。

あなたは女性が代表される必要性に触れていましたが、もう少し踏み込まなければいけません。いくつか例を挙げましょう。受刑者はコレクトコールをかけることができますが、では受刑者に朗読会に参加してもらうためにはどうすればいいでしょうか？　拡声装置を取り付けた電話器にコレクトコールしてもらうのは、それほど技術力を要することではありません。私はムミア・アブ＝ジャマール[▼11]のイベントを行ったことがあります。私は電話器を持っ

▼11　警察官を殺害したとして死刑判決を受けた政治運動家、ジャーナリスト。その後死刑判決は破棄されたが、未だ投獄されたままであり、死刑廃止論と自由のための闘いを象徴する存在となっている。

てステージに立ちました。ムミアがそこに電話をかけてきて、聴衆全員に演説することができました。こうしたプロセスのことを、私たちは考えていかなければなりません。

私は、オーストラリアでデビー・キルロイが代表を務める「シスターズ・インサイド（Sisters Inside）」という女性刑務所組織と連携しています。私がオーストラリアに行く時はいつも、そしてちょうど間もなく行くところなのですが、必ず刑務所を訪問します。この組織のリーダーの多くが服役中だからです。刑務所とその中にいる人々のことを抽象的に捉えてしまうと、どうしても忘れがちになります。もしあなたが本気で平等主義的な関係を発展させたいのなら、繋がりを維持する方法を模索しなければなりません。どのようにして刑務所内の人々と連絡を取り合うか。彼らの声を広く伝えるためにはどうすればいいか。

怠けることはできないですね。でも、どうすればいいのでしょうか？　女性解放の闘いに、男性にも参加してもらうためには？　人種差別や有色人種解放の闘いに、白人にも参加してもらうためには？　同じことですよね？

ええ、そうです。進歩主義的な人々がこれらの闘争を自分たちのものとして受け入れることを奨励したいのであれば、私たちは視野の狭い「アイデンティタリアニズム（identitarianism)」[12]的な考えから自らを解放しなければなりません。フェミニスト闘争に関しては、男性が重要な取り組みの多くを担わなければならない。私がフェミニズムについて語る際には、身体に付随するもの、あるいはジェンダー化された身体に根ざしたものとしてではなく、なるべく一つのアプローチとして、概念化の手段として、方法論として、闘争戦略のための指針として扱うようにしています。つまり、フェミニズムは特定の者に属するものではないということです。フェミニズムは統一された現象ではないので、例えばフェミニズム研究に携わる男性も増えています。私は教授として、フェミニスト研究を専攻する男性が増えているのを目の当たりにしていますが、それは良い変化です。アボリション運動の中でも、特に若い男性は非常に豊かなフェミニストの視点を持っていますが、それを確実に実現するためにはどうすればいいでしょう?　そのための努力をしなければ実現はしません。男性も女性も、そしてトランスジェンダーも努力をする必要がありますが、それは女性が男性に闘争への参加を頼むということではないと思います。進歩主義的な男性が、より多くの男性を参加させていく責任があることを自覚できるよう、ある種の意識を奨励しなければならないと思

▼12　特定のアイデンティティ(人種、民族、国民)の政治的利益に関連しているか、または支持していること。特にヨーロッパ人または白人で構成されている集団に対して用いられることが多い(『Oxford English Dictionary』より訳出)。

います。

男性はしばしば、男性同士ならではの異なる話し方ができます。闘争に参加してもらいたいと思う相手には、その手本を見てもらうことが重要です。男性がフェミニズムを形作るとはどういうことなのか？　私は定期的に大学を講演して回っていますが、南イリノイ大学で「黒人歴史月間」を祝う講演をした時に、「オルタナティブ・マスキュリニティーズ（Alternative Masculinities）」と呼ばれるグループのメンバーである若い男性たちと出会い、非常に感銘を受けました。彼らは女性センターと連携しています。彼らは、レイプ被害コールの受け方の訓練を受けていました。彼らは、女性しかやらないと思われてきたアクティヴィズムに、真剣に取り組んでいます。それで思い出したのが、かつて1970年代にいくつかあった、「メン・アゲインスト・レイプ（Men Against Rape）」、「ブラック・メン・アゲインスト・レイプ（Black Men Against Rape）」、「アゲインスト・ドメスティック・バイオレンス（Against Domestic Violence）」といった男性組織のことで、当時はこうした活動も男性だらけになるのは時間の問題だと思ったのを覚えています。でも実際にはそうはならなかった。ですから、「オルタナティブ・マスキュリニティーズ」の若い男性たちを見て、数十年の時を経て、本来なら彼らは今日すっかり浸透したトレンドの代表者になっているべきなのだと気づかされたのです。このようなことが、起こっているべきなのです。

でも自然発生的には起こらない。自動的に起こることでもありません。あなたが介入しなければいけない。意識的に介入していくことが必要なのです。

死刑について伺います。アメリカでは州レベルで実際に廃止される可能性はあるのでしょうか？

幸いなことに、例えばニューヨーク州では死刑廃止が可能かもしれないという兆しが見え始めています。言うまでもなく、いくつかの州では死刑廃止がもう目前かのように感じられた瞬間がありましたが、そうはなりませんでした。死刑が実際に執行されなくても、制度としては残ったままです。2011年9月21日にトロイ・デイヴィスが▼13〔公権力によって〕絶命された時、国際的なムーヴメントが起こりました。人々はジョージア州が死刑を執行することはないと確信していた。でも執行されてしまった。大規模なムーヴメントなしに、死刑廃止を実現することができるのか私には分かりません。州ごとのアプローチでは時間がかかりすぎるかもしれません。

▼13　1989年にジョージア州で警官を殺害した容疑で1991年に死刑判決を受けた。本人は無罪を主張し続け、状況証拠しかなかったことから人権団体などが再審を求めていたが、20年の服役後2011年に同州で死刑が執行された。

それと同時に、ある特定の条件の組み合わせ、特定の結びつきが生じることがしばしばあり、それが何かを達成する機会をもたらすことがあるということにも言及しておくべきでしょう。例えば、２０１１年に「オキュパイ」運動が起きた瞬間は、実に刺激的でした。その瞬間を利用することができるような組織化を私たちがそれまでに行うことができていれば、その機会をきちんと活用し、政党結成の計画をしていたかどうかにかかわらず、組織を構築し、今頃ずっと強力な反資本主義ムーヴメントを組織化できていたかもしれません。それまで一般化していなかった資本主義批判を展開する機会となったという点で、この瞬間は重要だったと思います。今では「99パーセント」や「1パーセント」という言葉が私たちのボキャブラリーの一部になりました。

語り方《ナラテイヴ》を変えたということですね。

そうです。実際にそれが可能になるという光が地平線上にまだ見えなくても、そのための努力はしておかなければならないのです。

基盤作りは日々行わなければならないと。

刑務所廃止運動には、死刑廃止の要求も含まれています。我々は、死刑に対するもっと広範なレジスタンスを展開していく必要があります。ムミアのケースにおける成果は限定的なものに過ぎません。死刑囚監房からは除外されましたが、私たちはそれをムミアの完全な自由、死刑廃止、そして言うまでもなく刑務所廃止の実現のきっかけとして、利用することができたはずです。死刑は依然として中心的な問題です。私たちは、人種差別主義がいかに死刑をはじめとした多数の制度を支えているかという理解を広めなければなりません。死刑の問題は構造的なレイシズムの問題であり、そこには奴隷制の歴史的な記憶が刻み込まれています。なぜ死刑制度がアメリカでこのような形で存在し続けているのかを理解するには、奴隷制の分析が不可欠です。ですから、これは私たちが直面している非常に重要な課題の一つなのです。しかし、死刑を完全に廃止するためには、大規模な民衆運動とグローバルなムーヴメントが必要だと思います。

第3章　構造的変革の必要性

パリで行われたフランク・バラットによるインタビュー（2014年12月10日）

前回ファーガソン事件の話をしたのは、事件が起きた後で大陪審の評決はまだ出ていない時でした。この事件の直前にもエリック・ガーナーという黒人男性が警察の手によって殺されていることを踏まえ、もう一度お話ししたいと思います。2人の黒人男性の命が奪われたのに警官たちは自由の身となりました。何を変えなければならないのでしょうか？

まず、黒人の男性や女性が警察によって殺害されることは珍しくないことを指摘しておきます。最近ロビン・D・G・ケリー[1]が執筆した記事があり、あなたにとって興味深い内容だと思います。「ポートサイド」[2]というウェブサイトに掲載されています。記事のタイトルは「なぜ私たちはもう待てないか」というもので、ファーガソンの評決の結果を待っている間に警察の手によって殺された黒人全員のことが掲載されています。

そのすべての殺害がこの2ヶ月ほどの間に起こったということですか？

その通りです。大陪審が証言を聞いている間に。私たちは、このような事件が例外的なもの、異常なケースであるかのように扱うことが多いと思います。でも実際には、日常茶飯事です。また私たちは、加害者を処罰するしか方法はなく、それによって正義が果たされると思い込んでいます。しかし、実は大陪審が2人の警察官の起訴を拒否したことは、マイケル・ブラウンとエリック・ガーナーの殺害事件と同等に恐ろしいことです。たとえ警察官たちが起訴されたとしても、それによって何か変革がもたらされるかは疑わしいことを強調しておきます。

ノースカロライナ州だったと思いますが、ジョナサン・フェレルという若者が自動車事故に遭い、助けを求めて民家のドアをノックした後に警察に殺されたという事件がありました。民家の人は、彼が強盗かもしれないと主張して警察に通報し、警察官はすぐに彼を殺しました。このケースでは当初警察官は起訴されませんでしたが検察が粘り、最終的には大陪審によって起訴されました。私が言いたいのは、構造的変革《システミック・チェンジ》について議論する必要があるということです。個人に対する措置で満足してはいけないのです。

つまりもっと色々なことを含めなければなりません。警察の役割の定義を考え直す必要があります。それは地域社会による警察管理体制を確立することを意味するでしょう。単に警察による犯罪を事後的に見直すのではなく、警察の行動を実際に管理し、従わせる権限を持った地域社会の組織を作る。これは、より大きな意味で人種差別問題に取り組むことを意味します。また、警察が真っ先に使う手段として暴力が奨励されているという、暴力の制度化の現状と、他の様々な暴力形態との関連性にも目を向ける必要があります。ファーガソン事件との関連で言えば、特に警察の非武装化の要求は、全国規模で展開されるべきです。

これは、構造的変革の議論ということですよね？

その通りです。

▼1　カリフォルニア大学ロサンゼルス校（ＵＣＬＡ）の歴史学教授。特にアフリカ系アメリカの社会運動と抵抗文化の歴史を専門とする。ジャズの研究者としても知られ、特にセロニアス・モンクに関する著書で高い評価を得ている。

▼2　「Why We Won't Wait」。ウェブサイト「PORTSIDE」に掲載（２０１４年11月27日）。

構造の根底からの。

全くその通りです。

先ほどの交通事故で車が壊れて助けを求めた黒人男性の話で、人々がすぐに彼を強盗か何かだと思ったと。これは固定観念《ステレオタイプ》と関係があると思いますか？　社会やメディアが黒人を潜在的に危険で犯罪的な存在として描くことで、そういうイメージが人々の心理に刷り込まれ、偏見が生み出されているのでしょうか？

全くその通りです。そして実際のところ、こうしたステレオタイプは奴隷制時代から機能してきたものです。フレデリック・ダグラス[3]も、犯罪が肌の色に転嫁される傾向について記しています。彼は、顔を黒塗りにした白人が様々な犯罪を犯していたのは、白人であるという事実によって疑われないことをよく認識していたためだと指摘しています。その一方で、すべての黒人は、ブラックネスと犯罪化のイデオロギー的な因果関係にさらされてきたのです。

レイシズムは、米国の歴史と共に発展してきた中で、常に（被差別者の）一定の犯罪化を伴ってきました。ですから、そのせいで黒人が犯罪者であるというステレオタイプな思い込みが今日まで続いているのを理解することは難しくありません。人種プロファイリング[4]はその一例です。黒人は車を運転するだけで〔警察暴力の〕危険にさらされるという事実。最近ツイッター上で「白人が犯罪を犯したら[5]」というやり取りがトレンドになりました。多くの白人が、自分が絶対に疑われることのない犯罪を実は犯したことについて投稿していて、ある人は、黒人の友人と一緒にキャンディ・バーを盗んで警察に逮捕された経験を書いていました。警官はその白人にキャンディ・バーを渡し、友人の黒人は最終的に実刑判決を受けたそうです。

これはある意味どこでも同じです。パリでもプロファイリングがあります。パリでモロッコ系やアルジェリア系の人と話すと、彼らはアメリカのアフリカ系アメリカ人とほぼ同じようなステレオタイプや捏造を経験しています。なぜこのようなステレオタイプは捏造されるのでしょう？　「分

▼3　19世紀に奴隷として生まれ、読み書きを独学で覚え、奴隷主から逃れた後に奴隷制廃止論を唱える活動家／著者／政治家となった人物。
▼4　警察が人種に基づいて取り締まりや捜査の対象を絞ること。
▼5　「# CrimingWhileWhite」。

断統治」戦略の一例でしょうか？

レイシズムは極めて複雑な現象です。人種差別には非常に重要な構造的要素がありますが、人種差別の撤廃や人種差別への挑戦を議論する際、このような構造的要素が考慮されていない場合が多い。また、精神面に及ぼされる影響もあり、これはまさにステレオタイプの持続性によるものです。何十年、何世紀にもわたって、黒人は人間性を剝奪され、人間以下の存在として表現されてきました。そのため、メディアを通じて広められる描写によって、また社会的な相互作用の中で生じるその他のコミュニケーション形態において、黒人は犯罪者と同等であると見なされてきたのです。ですから、なぜこれがここまで長く存続してきたのかを理解することは難しくありません。

問題は、なぜこれまでレイシズムが制度や個人の態度に与える影響を理解しようとする本格的な取り組みがなかったのか、ということです。そのような包括的な方法で人種差別問題に取り組めるようになるまで、ステレオタイプは存続し続けます。

オバマ大統領はどうでしょう？　彼は未だにファーガソンを訪問していません。彼は現在の政治状勢にどのように組み込まれているのでしょうか？

今この瞬間に私たちが目撃している、人種差別や人種差別的暴力、警察暴力に反対するムーヴメントの非常に興味深い基盤が台頭してきたことについての、私が考える複数の説明の一つは、オバマ大統領の選出が、いわゆる「脱人種主義時代《ポスト・レイシャル》」の始まりとして歓迎されたという事実と関係しています。当然のことながら、一人の人物の選出が、人種差別が影響を及ぼしている国全体の制度や態度を一変させることができると考えるのは無理があります。でも、今黒人が大統領の座についているという事実が、レイシズム、人々が目撃する人種差別的暴力と、その暴力行為自体のインパクトを強めていると私は思います。オバマ大統領はファーガソンを訪問していません。司法長官のエリック・ホルダーが訪問しました。私は政権運営には批判的立場ですが、エリック・ホルダーが少なくとも初期の段階で、警察の軍事化は重大な問題であると指摘したことは有意義だったと思います。当初ファーガソンでは、軍服や軍の装備を目にしました。興味深いことに、それが後半になると軍服や武器、技術などが警察に提供されていた事実を強調する映像を見ることはなくなりました。

いずれにせよ、誰が政権の座にあろうと、民衆運動にしかできない取り組みを政府に頼ることはできないと思います。現在起きている持続的なデモの最も重要な点は、これらのイシューを風化させない効果があるということです。

あなたは、一人の個人が全体のシステムを変えることはないと述べましたが、オバマ大統領は実際に彼を当選させたシステムから、どのような制約を受けているのでしょうか？

まず言うまでもなく、大統領職を支配する、変革に対して絶対的な抵抗力を持つ統一された装置があります。しかし、それはオバマ大統領がより大胆な決断を下さないことを許す理由にはなりません。私は、彼がもっと粘っていれば踏み出せたステップがあったと思います。しかし、アメリカにおける人種差別との闘いの歴史という観点から見れば、単に大統領がより進歩主義的な方向性を選んだというだけで、それが実際の変革をもたらしたことはありません。

あらゆる変革は、民衆運動の結果として起こっています。奴隷制の時代も、南北戦争も、特に南北戦争への黒人の参加はその結果を大きく左右しました。多くの人は、エイブラハム・リンカーンが大きな役割を果たし、彼が奴隷制廃止に向けた動きを加速させたという印象を持っていますが、実際には奴隷たち自身、女性と男性の両方が、自らを解放するために北軍に参加する決断をしたことが、奴隷制に勝利した主な要因でした。奴隷制を解体に導いたのは奴隷自身と、言うまでもなく廃止運動《アボリショニスト・ムーヴメント》だったのです。公民権運動時代を見てみると、同様の民衆運動――女性が求心力となっていた――が、政府に変革をもたらすように促しました。今も必要とされていることは、この頃と変わっていません。

ファーガソンが新たなムーヴメントのきっかけになるということでしょうか？　これが転機になり得ますか？

いかなるムーヴメントにも発展と成熟の時間が必要だと私は思っています。自然に発生するものではありません。それらは組織化と、多くの場合舞台裏でなされる多大な努力の結果として起こるものなのです。過去20年間ほど、持続的に警察による暴力、レイシズム、人種差別的な警察暴力、刑務所、産獄複合体に対抗する組織化が実際に行われてきました。これは、多くの地域社会における政治的意識は、人々が思うよりずっと高いという事実を反映しています。人種差別的な警察暴力と制度的な問題との関連性について、一般にも理解されているということです。産獄複合体とＣＩＡの秘密刑務所の使用と、最近明らかになった拷問などとも関係しています。つまり、我々にはムーヴメントの基盤がすでにできていると思います。まだ一つの組織化されたムーヴメントというところまで到達していませんが、強力な基盤があり、人々は運動の準備ができています。

アメリカの産獄複合体と刑務所の廃止運動に対して、今日のムーヴメントは何を成し遂げることができるでしょうか？　我々が60年代、70年代から得た教訓は何でしょう？

民衆運動が構造的変革をもたらすことができるということを、私たちは60年代と70年代に学んだと思います。例えば公民権法や投票権法など、可決されたこれらの法案を見てみると、それは大統領が特別な措置をとった結果としてもたらされたわけではありません。人々が行進し、組織化した結果として実現したのです。

公民権運動時代の１９６３年、その夏のワシントン行進の前にアラバマ州バーミンガムで「子供たちの聖戦」があったことを思い出します。バーミンガム警察の強力放水砲に対峙し、ブル・コナー[6]の警察に対抗するために子供たちが組織されました。当然ながら、そのような次元で子供たちを参加させることに反対する人たちもいました。あのマルコムＸですら、子供たちをそこまでの危険に晒すことは不適切であると考えたほどですが、子供たち自身が参加を希望したのです。そして、警察犬や放水砲と向き合う子供たちの写真が世界中を巡り、人種差別の残虐性に対する世界的な意識を芽生えさせる一助となりました。これは途方もなく大きな一歩でした。そしてこれは、しばしば忘れられていますが、人種差別についての沈黙を打ち破るために子供たちが実際に果たした役割です。

ですから、60年代から70年代の間に、私たちは変革が可能であることを間違いなく学んだと思います。最終的には、私たちが心底望んでいたような変革は起こりませんでした。いえ、このような言い方は適切ではないですね。言い換えると、あくまで法の範囲内での変革だったので十分ではありませんでしたが、それは極めて重要なものでした。しかしながら、人種差別を根絶するために必要な経済的変革やその他の形態の構造的変革を経験するには至りませんでした。

そこが課題です。ムーヴメントは、どうすれば消極的な政治家にも圧力をかけることができるでしょうか？

その当時の大統領であったリンドン・B・ジョンソンは、明らかに人種差別に賛同した消極的な南部の政治家でした。でも、彼の政権下で重要な法律が制定されています。ですから、

▼6　バーミンガムの公安委員長としてバーミンガム警察署の行政監督を20年以上務めた政治家で、公民権運動に強く反対の立場を取り、制度的人種差別と警察暴力を象徴する人物として知られる。

ムーヴメントは確実に、消極的な政治家にも一歩を踏み出させることができると思います。南アフリカを例にすると、一体誰が、デクラーク[7]がアパルトヘイトを廃止することになると予想したでしょうか？　それは、南アフリカ国内のムーヴメント、南アフリカ国外における南アフリカ運動、そして世界的な連帯キャンペーンの成果です。

アメリカに話を戻しますが、「黒人政治」の未来はどのようなものでしょうか？

オバマがアメリカ国内の黒人政治の未来を描く上で大きな役割を果したのかどうかは分かりません。しかし、本質的に問うべきは反人種主義《アンチレイシスト》政治の未来についてだと思います。

すでに触れられていましたが、オバマ大統領が選出されたという事実が、実際には弊害になってしまったかもしれないと……。

実は、今はもっと広い枠組みで黒人政治を概念化することが重要だと思っています。かつて私たちが考えていたのと同じように黒人政治を捉えることはもうできません。様々な意味で、アメリカにおける黒人の闘争は、自由闘争の一つの象徴となっていると言えるでしょう。

より広義な自由闘争を象徴しています。ですから、黒人政治の領域の中にジェンダー闘争も、同性愛嫌悪《ホモフォビア》との闘いも、抑圧的な移民政策との闘いも含めなければならないと私は考えます。ここで、「黒人のラディカルな伝統」とよく呼ばれるものについて指摘しておくことは重要でしょう。そして黒人のラディカルな伝統は黒人だけではなく、自由のために闘うすべての人々に関係しています。その点において、未来は開かれていると考えるべきだと思います。確かに、狭義の黒人の自由はまだ勝ち取れていません。特に膨大な数の黒人が貧困状態にあるという事実や、不均衡な数の黒人が刑務所に収監されており、産獄複合体の網目から抜け出せなくなっている事実を考えると。しかし同時に、私たちはラテン系の人口にも目を向けなければなりませんし、先住民、ネイティヴ・アメリカンの人々にも目を向けなければなりません。黒人に対する人種差別によって築かれた基盤の上に、ムスリム差別が明らかに強化されてきたことにも注目しなければなりません。このように、今はずっと複雑になっており、私が狭義の黒人の自由だけを論じようとすることは決してありません。特に黒人の中流階級《ミドル・クラス》が出現しているという事実、オバマが大統領になったという事実を考慮すると、政治だけで

▼7　フレデリック・ウィレム・デクラーク。南アフリカのアパルトヘイト体制の解体、アパルトヘイト関係法の全廃に大きな役割を果たした白人の政治家。

なく、経済的なヒエラルキーの中でも黒人の個人が台頭してきていることを象徴しています。しかし、だからといってそれが必ずしも大多数の黒人が置かれている状況を変えるわけではありません。

それは非常に興味深いことだと思います。どう言えばいいのか分かりませんが、南アフリカの例もそうであったように、特定の集団の人々が政治やビジネスで高い地位に上った場合、ブラックネスやネイティヴ・アメリカンであることよりもマネーが先行すると思いますか？　最近チリを訪れたのですが、チリのパレスチナ人コミュニティは世界最大級です。チリには45万人ほどのパレスチナ人がいます。

まあ、それは知りませんでした。

チリで講演をして回っていた時、ピノチェトが多くの人を拷問し殺害した街、ビジャ・グリマルディを訪れました。そこで世界でも有数の富裕層であるチリのパレスチナ人コミュニティの約6割が、ピノチェト政権時代に彼を支持していたということを人々が教えてくれました。ピノチェトが人々を拷問し殺害していたからではなく、ピノチェトが新自由主義者《ネオリベラル》だったからです。彼らは自分

たちの富と特権を維持することに関心があった。つまり、拷問を非難する前に、彼らは自分の財布の中を見ていたわけです。南アフリカでも同じことが起きました……。

すべてが、特にこのグローバル資本主義と新自由主義の時代、非常に複雑です。南アフリカでは非常に大きな権力を持ち非常に裕福な黒人セクター、いわば黒人ブルジョワジーが台頭していますが、その潜在的な出現の可能性は、少なくともアパルトヘイトとの闘いの間、公然とは考慮されていませんでした。黒人が政治的・経済的パワーを獲得すれば、誰もが経済的自由を得られると考えられていましたが、必ずしもそうではないことが明らかになった。アメリカでも基本的に状況は同じです。

ここ最近、頻繁にブラジルを訪問しているのですが、ブラジルは人種問題に関して、今飛躍的に前進しようとしています。彼らには、アメリカや南アフリカを見習うかどうかを選択する機会があると思います。パレスチナ人がピノチェトを支持していたことには驚きましたが、全く信じられないことではありません。

もちろん全員というわけではないですが。

ええ、あなたは約6割と言いましたが、これはかなりの割合です。そして近年、異なる複数の闘争を団結させる連帯キャンペーンが発展してきたことは、非常に重要なことだと思います。アメリカの黒人の闘争に触発されたパレスチナ人の活動から、黒人も自らの自由闘争を続ける勇気をもらうようになる。しかしその一方で、パレスチナ人は、黒人の個人が権力の座に就けば全体の状況を変えることができるという前提に内在する問題にも目を向けるべきなのかもしれません。パレスチナ人の自由の実現をもたらすのは、マネーよりもずっと複雑なものでしょうから。

ブラック・フェミニズムと黒人闘争は、パレスチナ解放運動に何を提供できるでしょうか？

連帯とは常にある種の相互性を意味すると私は思うので、そのような質問の仕方が適切かどうか分かりません。アメリカではただでさえ、自分たちがすべてにおいて最高水準を誇っていると思い込むよう奨励されていますから、アメリカ例外主義は我々にアクティヴィストとして世界中で闘っている人々に対してアドバイスする側の立場を押し付けようとしますが、私はこれに賛同しません。我々はお互いの経験を共有しているのです。ブラック・フェミニズムや有色人女性フェミニズムの発展がパレスチナ人に発想や経験、分析を提供できると思うのと同様に、ブラック・フェミニズムや有色人女性フェミニズムは、パレスチナ人やパレスチナ人フェミニストの闘争から学ぶことができます。すなわち、私たちが扱っているようなフェミニズムを特徴づけているインターセクショナリティの概念は、人種、階級、セクシュアリティ、国籍、能力、その他の様々な問題からジェンダーを切り離して単純に見ることはできないと示すことで、パレスチナ人やパレスチナ闘争に関わる人々がそれを言語化することを可能にし、またアメリカの人々がインターセクショナリティのより広い概念を想像するのに役立っていると思います。

パレスチナ闘争はここ数年で、アメリカにおいてどのように変わりましたか？

実に重要な変化が起きたと感じています。あまりにも長い間、パレスチナにおける自由の問題は周縁化されてきました。アメリカの多くの進歩主義的者でさえ、パレスチナだけを除外してきました。これは、レベッカ・ヴィルコマーソン[8]が「パレスチナを除いた進歩主義」と呼ぶ現象です。現在は、これが変わりつつあります。かつて広く浸透していたシオニズム[9]

▼8　アメリカのパレスチナ解放を訴えるユダヤ人組織、「Jeweish Voice for Peace」事務局長。

の影響力は縮小しています。あらゆる大学のキャンパスでは、「パレスチナに正義を求める学生の会（Student for Justice in Paletstine: SJP）」が大きく成長し、必ずしもパレスチナ人、アラブ人、イスラム教徒ではない多数の学生が、SJP団体で活動するようになりました。パレスチナ問題は、主要な社会正義のイシューの中に次第に組み込まれるようになっています。私の個人的な経験では、以前はパレスチナについて論じる際には抵抗や挑戦が予想されましたが、今ではずっと受け入れられ易くなっています。これは、実際にパレスチナで起きていることと関係していると思います。またアメリカのみならず、世界的にパレスチナ連帯運動が高まりをみせていることに関係しています。特にアメリカでは、黒人、ネイティヴ・アメリカン、ラテン系のムーヴメントに関連する人々が、次第にパレスチナ問題を自分たちの課題に組み込むようになったことにも関係しています。前回のインタビューでは、ファーガソンのデモ参加者に催涙ガスへの対処法をアドバイスするパレスチナの活動家のツイートの話をしましたが、ソーシャル・メディアによって促進された直接的な繋がりも重要です。

先日、会議のためにセビリヤを訪問していたのですが、あなたもよくご存じのカリフォルニア大学ロサンゼルス校（UCLA）のSJPのラヒム・クルワ氏が一緒だったので、あなたにお会いすることを話したら、学生のアクティヴィズムについて質問を受け取りました。「大学がますますエリ

ート制度化している現在、学生はより広範なコミュニティやキャンパスを取り巻くその他のムーヴメントとの関係性をどのように考えればよいですか？」というものです。

ＵＣＬＡは確実に、そして歴史的にコミュニティと連動した数々の闘争の中心となってきました。私自身もＵＣＬＡで闘った一人です。しかし現在、学生たちが挑戦しているのは大学を取り巻く環境、および大学を新自由主義的なエリート主義の拠点として確立しようとする企てに対してであり、これらの挑戦は極めて重要だと思います。ＳＪＰの場合は、全国のキャンパスをＢＤＳと連帯させることで、ＢＤＳ運動を強化する効果があっただけでなく、学生が刑務所の民営化に異議を申し立てる可能性が出てきました。言うまでもなく、パレスチナ占領により利益を得てきた企業の責任を問う努力を続けてきた多くのキャンパスでは、刑務所の民営化によって利益を得る企業に対する闘争も行われています。ですから、この二つは様々な意味で共生的に繋がっていると思います。これはそうした多くの事例の一つです。

▼9　イスラエルの地（パレスチナ）にユダヤ人の民族的拠点を設置・再建、またユダヤ文化の復興を目指す思想・運動のこと。シオン主義。

アメリカにおけるパレスチナに関する言説《ナラティヴ》は、反アパルトヘイト運動の頃とどのように類似、あるいは異なっていますか？

共通点はたくさんあります。ＢＤＳはまさしく、よりグローバルな連帯意識を高めるという願いを込め、集団ボイコットの手法を用いることで反アパルトヘイト闘争の本質に倣うことを選択したからです。異なるのは、強力なシオニスト圧力団体の存在だと思います。確かにアパルトヘイトの強力な圧力団体もありましたが、シオニスト圧力団体の影響力には到底及ばないものでした。しかもそれは、黒人の宗教界にまで影響しています。その触手は黒人教会にも及んでおり、イスラエル国家の側から黒人の重要人物を勧誘するための直接的な努力が行われてきました。反アパルトヘイト時代にこのような巧妙な政治的圧力があったかどうかは分かりません。確かなのは、イスラエル国家もこの運動から学習しているということです。しかしそれと同時に、今日の私たちが目の当たりにしているようなパレスチナの闘争との親近感を、これまで草の根レベルのアクティヴィスト集団間で見たことはなかったと思います。私個人の体験では、かつてパレスチナ闘争に対する熱意はある程度抑制されたものであったのに対し、今ではどこの聴衆もこの闘争を受け入れている前提で話すことができます。米国アメリカ学会（American Studies Association）は、パレスチナの連帯に関する重要な決議を可決しました。最近、「全米女性学会（National Women's Studies Association: NWSA）」会議のパネル・ディスカッションに参加する機会がありましたが、これまで、私の考えではシオニストの影響により、NWSAがパレスチナ問題に関して立場を表明したことはありませんでした。たしか2500人ほどの大規模な全会員出席会議において、パレスチナについてのパネル・ディスカッション中、誰かが議場での投票を提案しました。会場内でNWSAにBDSを支持する強い立場を取ることを望んでいるかどうかを問うたところ、聴衆のほぼ全員が立ち上がったのです。これは前代未聞のことでした。10人か20人ほどは着席していましたが、鳴り止まない拍手を聞いたことは、実に胸が高鳴る体験でした。

これらの変化は、より大きな変革もたらすために極めて重要です。北米中東学会（Middle East Studies Association: MESA）も同様に、最近、BDSの呼びかけを承認したと思います。

イスラエルの学者でさえも、これは大きな変化だと言っていました。

最初に決議案を可決したのはアジア系アメリカ人研究学会（Asian American Studies Association）だったことは覚えておきましょう、その次が全米アメリカ学会、そして今ではもちろん……。

MESAと……。

クリティカル・エスニック・スタディーズ学会（Critical Ethnic Studies Association）。かなりの数の学術団体に上ります。

それは素晴らしいことですが、アメリカでさらに社会正義を支持するムーヴメントを強化するためには何をすればいいと思われますか？　同じ質問は、全世界に適用できると思いますが。

我々は、常に繋がりを持たなければならないと思います。つまり、人種差別的な暴力に対する闘争に参加する場合、ファーガソンのマイケル・ブラウン、ニューヨークのエリック・ガーナー、そしてパレスチナとの繋がりを忘れてはいけません。ですから多くの場面において、インターセクショナリティの実践に従事しなければいけないということだと思います。常にこうした関係性を前面に出し、他から孤立した事象はないことを人々の記憶に留めてもらうことです。ファーガソンで警察が抗議運動を弾圧するのを目の当たりにしたら、占領下のパレスチナで抗議運動を弾圧しているイスラエル警察とイスラエル軍にも考えをめぐらせなければならないのです。

先に警察の軍事化についての話がありました。ファーガソンでも、西岸地区やガザでも、今現在はギリシャのアテネでも目にします。こうしたロボコップのような出で立ちの警察部隊を見れば、これがグローバルな闘争であることと、それぞれとの関連性がより鮮明に認識できますよね……。

しかし彼らは抜け目ありませんから、ファーガソンではもう見られなくなりました。軍事化を見えにくくするという決定がなされたからです。しかしたとえ不可視でも、我々は主張しなければなりません。そして、このような軍事的影響力を不可視化しようとする企てを、人々が見抜く力を身につけることは、もしかするとさらに重要なことかもしれません。

繋がりといえば、アラブ世界の反人種差別《アンチレイシズム》運動とアメリカの黒人の意識や解放運動を結びつけることが、ご自分の役割だと思われますか？

私の具体的な役割、個人的な役割について話すべきかどうかは分かりませんが、確実に、私はそのような関係性を構築する取り組みに参加し、その繋がりをより明白に、より可視化していきたいと思っています。私たちは、運動から多くを学習しています。それらは草の根レベルで起こっていることであり、ここから得た洞察が個人、あるいは少し目立つ存在となった自分たちだけのものだと思い込まぬよう細心の注意を払う必要があります。様々な瞬間から学んだことをきちんと認識し、そこから得た洞察を共有していかなければなりません。そこに私の役割があると思っています。

ブラック・フェミニズムの話題に戻りますが、アメリカのブラック・フェミニズムにおいては、どのような前向きな進展が見られますか？

パレスチナ連帯の理念が受け入れられていることは非常に重要ですね。ブラック・フェミニズムの発展における極めて重要な人物であり、歴史的な黒人教育機関の一つであるスペルマン大学で教鞭を執るビヴァリー・ガイ＝シェフタールは……。

ハワード・ジン▼10もそこで教えていましたね。

教えていました。アリス・ウォーカーもスペルマン大学に通っていました。小さな女子大学ですが、極めて重要な場所です。ビヴァリー・ガイ＝シェフタールは、私がパレスチナを訪れた際の、同じ代表団のメンバーでした。先住民、有色人種のフェミニスト、学者、活動家で構成されたパレスチナへの代表団です。ビヴァリー・ガイ＝シェフタールは極めて重要な人物でありながら決して出しゃばらない控えめな人ですが、改めて彼女が果たした役割の大切さを強調させてください。スペルマン大学は主に黒人が占める教育機関ですが、主要な黒人高等教育機関の中で唯一のSJP支部があります。この点で、他の黒人高等教育機関に対しリーダーシップを発揮していると思います。ですから、その将来には大いに期待できると思っています。ビヴァリーは本当に一貫して粘り強く、パレスチナ闘争を前面に押し出してきました。

あなたはこれまでに、フェミニズムが家父長制と「白人特権的リベラル・フェミニズム《ホワイト・プリヴィレッジ》」と呼ぶべきものの両方に、効果的に挑戦できる力を持ったことがあると思いますか？

私はムーヴメントというのは、フェミニスト・ムーヴメントも、その他のムーヴメントも、

▼10　公民権運動や反戦運動に尽力してきた歴史学者。『民衆のアメリカ史』（明石書店）他、多数の著作を残している。

必ずしもそれらの運動とは関係していない人々のヴィジョンや視点にまで影響を与え始めた時が最も強力であると考えています。ですから、ラディカルなフェミニズム、あるいはラディカルな反人種差別主義的《アンチレイシスト》フェミニズムは、今日の社会正義闘争に関する、特に若い人たちの考え方に影響を与えたという点において重要です。そこにジェンダーがどのように組み込まれているか、ジェンダーとセクシュアリティと階級とナショナリティがどのように影響しあっているかを考慮しない限り、反人種差別《アンチレイシズム》運動で勝利を収めることはできません。かつては、自由闘争は男性の闘争とみなされていました。黒人にとっての自由は、黒人男性にとっての自由と同義であったことは、マルコムXや他の多くの人物にも常に見受けられたことです。しかし、今はもう通用しません。そしてフェミニズムは、単に女性だけが受け入れる、あるいは受け入れるべきアプローチではなく、ますますあらゆるジェンダーの人々が受け入れるアプローチであるべきだと思います。

変化といえば、公民権運動後の黒人政治で最も顕著な変化は何でしょうか？　それはブラック・フェミニズムとも関係していますか？

反人種差別運動とジェンダーの相互関連性は極めて重要だと思いますが、階級、ナショナリティ、エスニシティとの相互関連性も考慮する必要があります。今日、我々は黒人《ブラック》運動《ムーヴメント》をもうかつてと同じようにイメージすることはできないでしょう。黒人男性の自由が黒人の自由であるという思い込みは、黒人闘争の周辺にある種の境界線を作りましたが、それはもはや存在することができません。ですから、「黒人のラディカルな伝統」は、おそらく今日のレイシズムの最も悪質な形態であるムスリム差別との闘いを受け入れなければならないと私は考えています。ムスリム差別を根絶することなく、黒人差別を根絶することを想像することは意味をなしません。

レイシズムのない警察活動《ポリーシング》や収監はアメリカで実現可能でしょうか？

現時点で、アメリカ史におけるこの瞬間に、レイシズムのない警察活動が実現可能だとは思えません。刑事司法制度がレイシズムなく機能できるとは思えません。要するに、レイシズムのない社会の可能性を想像するなら、それは必然的に刑務所のない社会になるのです。今日のような警察活動がない社会です。安全な社会を想像し始めるためには、異なる枠組み、おそらく「修復的司法《リストラティヴ・ジャスティス》」▼11の枠組みが必要だと考えています。安全《セキュリティ》は〔社会の〕中心的な課題だと思いますが、その意味は警察活動と収監に基づいた安全の概念とは異なります。もしかすると、「変革的正義《トランスフォーマティヴ・ジャスティス》」▼12は、未来の安全を想像するための枠組みを提供してくれるかもしれません。

あなたは何十年もアクティヴィストを続けています。何があなたの原動力となっていますか？将来については、楽観的であり続けるべきだと思いますか？

楽観主義でい続ける以外の選択肢はないと思います。楽観主義は絶対的に必要なものです。たとえそれがグラムシの言う「意志の楽観主義」で、「知性の悲観主義」が伴ったとしても。私を前進させ続けてきたのは、コミュニティの新しい形態の発展です。ムーヴメントが生き残っていなかったら、抵抗のコミュニティも闘争のコミュニティも生き残っていなかったら、私も生き残れていたか分かりません。どんなことをしていても、私は常にこれらのコミュニティと直接繋がっていると感じています。特に新自由主義《ネオリベラリズム》が、人々に集団としてではなく個人としてのみ自らを捉えるよう強制しようとするこの時代、コミュニティの感覚は奨励していかなければならないと思います。集団の中にこそ、私たちは希望と楽観主義の源泉を見つけることができるのです。

▼11　犯罪によって引き起こされた被害に関して、関係当事者（加害者・被害者・コミュニティ）の話し合いにより、被害者・加害者間の関係修復を図り、加害者の反省を促して更生を助長する考え方（『大辞林』第三版）。

▼12　刑事司法に代替する考え方として、社会システムそのものの変革を目指す実践や理論を指す。個人の変容を目指す修復的司法はこの原理に基づいているが、それを通してより大きな構造を変えようとする変革的正義はより広範な概念。

第４章 パレスチナ、G4Sと産獄複合体

ロンドン大学東洋アフリカ学院（SOAS）[1]でのスピーチ（2013年12月13日）

この多国籍セキュリティ企業G４Sをボイコットすることの重要性に主眼を置いた催しが企画された時、それがネルソン・マンデラ氏の死去と重なり、追悼を兼ねることになるとは誰も想像していませんでした。

マンデラ氏にまつわる闘争が伝えてきたことを振り返る時、彼自身の自由を勝ち取り、ひいては南アフリカのアパルトヘイト解体の舞台を築いた闘争を思い起こさずにはいられません。それ故に、ルース・ファースト[2]とジョー・スロヴォ[3]、ウォルターとアルベルティーナ・

▼1　School of Oriental and African Studies.

▼2　反アパルトヘイト活動家のユダヤ系女性作家、ジャーナリスト。南アフリカ警察によって仕掛けられた爆弾によりモザンビークで暗殺された。

シスル[4]、ゴヴァン・ムベキ[5]、オリバー・タンボ[6]、クリス・ハニ[7]、他にも今はいなくなってしまったたくさんの人々のことを思い浮かべます。常に、頑なに集団的闘争という文脈の中に自らを位置づけてきたマンデラ氏の意思を汲んで、アパルトヘイト撤廃に重要な役割を果たした彼の同志たちの名前を思い出すことは、この場に相応しいでしょう。

ネルソン・マンデラ氏への鳴り止まない称賛が満場から溢れ出すのを目の当たりにすることは感動的ですが、このような神格化の意味を問うことも大切です。私は、彼自身が一個人として現世の聖者に祭り上げられることを拒み、むしろ共に闘った同志の存在を常に強調し、このような神格化プロセスに全力で抵抗していたことを知っています。彼は確かに途方もない人物でしたが、個人としての彼が特に優れていたところは、常に彼の傍にいた人々をおざなりにして彼一人を持ち上げようとする個人主義を、激しく非難してきたことです。彼の深遠な個性は、新自由主義《ネオリベラリズム》イデオロギーの核心的要素である個人主義の、批判的な拒絶にまさしく根ざしていたのです。

ですからこの場を借りて、ここイギリスで強力かつ模範的な反アパルトヘイト運動を築き上げた、アフリカ民族会議（African National Congress: ANC）と南アフリカ共産党からの多くの亡命者を含む、この国の数え切れないほどの人々に感謝の意を表したいと思います。1970年代から1980年代にかけて、反アパルトヘイト運動に参加するために私も何度もこの国を訪れましたが、ここでネルソン・マンデラ氏と同じように自由のために揺るぎない献身をしてきた女性や男性に感謝します。イギリスでのこうした連帯運動への参加は、私自身の命を救ったムーヴメントと同じくらい、私の政治意識の形成において重要なことでした。

ネルソン・マンデラ氏の死を悼みながら、人種差別と抑圧によるアパルトヘイトというシステムを成立させていた世界を終わらせるため、何十年もの間アパルトヘイトとの闘いを止めなかったすべての人々に深く感謝の意を表したいと思います。そしてここに、人種差別や反ユダヤ主義、性差別《セクシズム》や同性愛嫌悪《ホモフォビア》に反対する南アフリカ憲法の精神を呼び起こしたいと思います。

▼3　ルース・ファーストの夫で南アフリカの政治家。長期にわたり南アフリカ共産党の党首を務めた他、マンデラ政権で住宅大臣も務めている。

▼4　反アパルトヘイト活動家の夫婦で共にANCのメンバー。ウォルターは書記長や副議長など重要ポストを歴任したがマンデラ氏と共に終身刑を受け、26年間服役した後釈放され政治活動を続けた。

▼5　南アフリカ共産党およびANCの指導者。後に南アフリカの大統領を務めたタボ・ムベキ氏の父。マンデラ氏、シスル氏と共に有罪判決を受け24年間服役。釈放後も政治家として活躍した。

▼6　シスル氏の後ANC議長を長年務めた反アパルトヘイト政治家。政府から繰り返し迫害を受け、ザンビアでの30年間の亡命生活を余儀なくされた。

▼7　南アフリカ共産党の書記長でANC傘下の武装組織ウムコント・ウェ・シズウェの副司令官を務めた人物。1993年にアパルトヘイト支持派の極右の白人に暗殺された。

私が改めてもう一つのアパルトヘイト体制に反対する運動である、パレスチナの人々の闘争との連帯を強化するために皆さんに加わるのは、このような背景からです。ネルソン・マンデラ氏もこう述べていました、「我々は嫌というほど知っている、我々の自由はパレスチナ人の自由なしには不完全であることを」。

マンデラ氏が政治的な台頭を果たした背景には、アメリカ南部の黒人闘争とアフリカ解放運動――南アフリカのANC、アンゴラのアンゴラ解放人民運動（Movimento Popular de Libertação de Angola: MPLA）、ナミビアの南西アフリカ人民機構（South-West Africa People's Organisation: SWAPO）、モザンビークのモザンビーク解放戦線（Frente de Libertação de Moçambique: FRELIMO）、ギニアビサウとカーボベルデのギニア・カーボベルデ独立アフリカ党（Partido Africano da Independência da Guiné e Cabo Verde: PAIGC）に導かれていた――という黒人闘争間、その他様々な自由闘争間の繋がりを認識するよう促す国際主義《インターナショナリズム》という考え方がありました。このような国際的な連帯はアフリカ系の人々の間だけでなく、かねてから続いているキューバ革命との連帯や、アメリカの軍事侵略に対して闘うベトナムの人々との連帯など、アジアやラテンアメリカの闘争との間にもありました。

その半世紀後、私たちはこれらの連帯の遺産を――特定の闘争がどれほど上手くいったとしても、あるいはどれほど酷い結末を迎えたとしても――それが希望とインスピレーションを生み出し、前進するための真の条件をもたらすのに貢献したものとして受け継いでいます。

我々は今、この瞬間もイスラエルの隔離政策《アパルトヘイト》と闘っているパレスチナの姉妹や兄弟たちを支援しなくてはならないという課題に直面しています。彼らの闘いは南アフリカのアパルトヘイトとの闘いと多くの類似点を持っていますが、その中でも最も顕著なのは、テロリズムというレッテルを貼ることで、彼らの自由のための努力をイデオロギー的非難の根拠にしている点です。私の理解するところでは、CIAと南アフリカのアパルトヘイト政府が歴史的に協力していたことを示す証拠が存在しています。実のところ、1962年にネルソン・マンデラ氏の潜伏場所の情報を南アフリカ当局に提供したのはCIAのエージェントだったとされており、それが直接彼の逮捕と投獄に繋がりました。

しかも、マンデラ氏の名前がテロリスト監視リストから除外されたのは——わずか5年前の——2008年になってからで、ジョージ・W・ブッシュが彼を筆頭とするANCのメンバーをリストから除外する法案に署名した時でした。つまり、マンデラ氏が釈放後1990年に訪米した際も、その後南アフリカ大統領として訪米した際も、マンデラ氏はテロリスト▼8

▼8　FBIのテロリスト・スクリーニング・センターがまとめているテロリストおよびテロリスト容疑者のリストで、2009年の時点で登録者は100万人を超えた。

監視リストに記載されたままであり、アメリカ入国禁止という前提条件は、その都度特別に免除されなければならなかったのです。

私が強調したいのは、非常に長い間、マンデラ氏と彼の同志たちは、今日のパレスチナの指導者や活動家の多くと同じ立場にあったということです。そして米国は、明らかに南アフリカのアパルトヘイト政府と協力していたように、現在1日850万ドル以上の軍事援助という形でイスラエルのパレスチナ占領を支援し続けているということです。私たちは、アメリカがどれほど深く占領に関与しているか世界は知っているということを、オバマ政権に伝えなければなりません。

この会議に参加できたことを、特に最近ケープタウンで結成されたパレスチナの政治犯解放を求める政治犯救済国際委員会（International Political Prisoners Committee）のメンバーの一人として、またラッセル法廷パレスチナ問題の陪審員の一員として光栄に思います。我々が今晩ここに集うことを可能にしてくれた、この会議の主催である「War on Want」[9]、そしてSOASの進歩主義的な学生、教員、職員の皆さんに感謝します。

今宵の集まりは、特にBDS運動を拡大させることの重要性に焦点を当てたものです。そして、それは南アフリカの反アパルトヘイト運動という強力なモデルに即して作り上げられました。ボイコットの対象として、例えばヴェオリアをはじめ、ソーダストリーム、アハヴア、キャタピラー、ボーイング、ヒューレット・パッカードなどの多国籍企業が挙げられていますが、今晩はG4Sに絞って話をしたいと思います。

G4Sが特に重要なのは、パレスチナにおける抑圧的装置——実例の一部を挙げると刑務所、検問所、分離壁など——の維持と再生産に直接的かつ露骨に参画しているからです。G4Sは安全保障《セキュリティ》の民営化だけでなく、監獄の民営化、戦争行為の民営化、医療や教育の民営化までをも推し進める新自由主義《ネオリベラル》国家とその安全イデオロギーの下、「安全」と呼ばれるものへの強まり続ける固執を象徴しています。

G4Sはイスラエル国内の政治犯が受ける抑圧的な待遇の責任を負っています。我々はサハール・フランシス氏が代表を務める「Addameer」▼10を通して、多くのパレスチナ人が直面している拷問と監禁の恐ろしい世界を知り、また彼らのハンガー・ストライキやその他の抵抗の形態についても学びました。

G4Sは、世界最大のウォルマート、2位のフォックスコンに次ぐ第3位の規模の民間企業です。G4Sのウェブサイトを見ると、ロック・スターやスポーツ・スターから、「世界

▼9　世界の貧困撲滅を目指す、ロンドンを拠点にする慈善団体。

▼10　1992年に設立され、パレスチナを拠点にパレスチナ人政治犯を支援する非政府系・市民人権団体。Addameer はアラビア語で「意識」を意味する。

の港や空港における旅行者の安全と快適な滞在を保証し、その国に合法的に滞在する権利のない人の身柄拘束や護衛を提供すること」まで、幅広い「人と財産」の安全を守る企業であるということが分かります。[▼11]

同社のウェブサイトには「皆さんの気づかない様々なところで、G4Sは皆さんの世界の安全を確保しています」と書かれています。私たちの気づかないところで——パレスチナが経験する政治犯収監と拷問から人種差別的な分離と隔離政策のテクノロジー、またイスラエルの分離壁から、アメリカのまるで刑務所のような学校、アメリカとメキシコの国境沿いの壁に至るまで——G4Sは私たちの生活の中に安心と国家安全保障を装って入り込んでいることを付け加えておきましょう。抑留者の中に子供を含む〔イスラエルの〕ハシャロン刑務所や、女性が収容されているダムン刑務所に精緻な管理テクノロジーを導入したのはG4Sイスラエル社です。

このような背景を踏まえ、G4Sがグローバルな刑務所産業にどれほど深く関わっているか探ってみましょう。G4Sが世界各地に私設刑務所を所有・運営しているという事実に加え、同社は学校と刑務所の境界線を曖昧にしつつあるという点にも言及しておきます。アメリカでは、有色人種の貧しいコミュニティにある学校は、国家治安当局と綿密に絡み合っており、それは時に学校と刑務所の区別がつかなくなるほどです。学校は刑務所のように見え、学校が刑務所と同じ探知テクノロジーを使い、時には同じ法執行機関職員が関わっています。アメリカでは、実際に武装した警官が校内をパトロールしている小学校もあります。実のところ、G４Sのような警備会社を利用する予算がない学区では、教師に銃を提供したり、射撃の練習をさせたりするのが最近の傾向だといいます。これは冗談ではありません。

安全に関する事業を主な専門分野とするG４Sは、実は学校の運営にも関わっています。「グレート・スクール」と題されたウェブサイトには、フロリダ州のパスコ中央女子アカデミーの情報が掲載されていますが、この学校は公立の小規模な代替学校として紹介されています。G４Sのウェブサイトの施設ページを見てみると、こんなエントリーがあります。「パスコ中央女子アカデミーは、集中的なメンタル・ヘルス・サービスが必要と評価された13〜18歳の中等度リスクのある女生徒にサービスを提供しています」。G４Sは「ジェンダー対応型のサービス」を実施しており、性的虐待や薬物乱用などにも対応していることを示唆しています。これは比較的無害に聞こえるかもしれませんが、実際は教育システムに

▼11　G４S傘下の日本法人のウェブサイトには「G4S Secure Solutions Japan は、人命や資産が危険に晒されるような治安情勢が不安定な地域（日本国外）で活躍する日本のクライアントに対して、安心と安全を提供するセキュリティのプロフェッショナルです。如何なる危険や困難をともなう環境下においても、クライアントが安全且つ安心して事業を進行出来るようサポートすること、それが G4S Secure Solutions Japan の使命です」と記載されている。

警備《セキュリティ》がどれほど浸透しているか、また資本主義における利益の下でいかに教育と収監が結びついているかを示す、目を見張るような事例です。この事例はまた、産獄複合体が刑務所をはるかに超える領域にまで及んでいることを示しています。

多数の機関に「安全《セキュリティ》」を提供し、アメリカでは「リスクのある」少女たちの更生サービスを提供し、ヨーロッパ、アフリカ、オーストラリアで民間刑務所を運営しているG4Sは、ヨルダン川西岸地区にイスラエルが建設した分離壁沿いにあるイスラエルの検問所や、継続的なガザ包囲の拠点ターミナルにも機器やサービスを提供しています。この会社はまた、ヨルダン川西岸地区のイスラエル警察にも商品やサービスを提供し、占領下パレスチナの違法なイスラエル入植地内の民間企業や住宅の警備も行っています。

民間の刑務所運営企業が長い間認識してきたように、産獄複合体の中でも最も収益性の高い分野が、移民の収容と強制送還です。アメリカにおいては、G4Sがアメリカからメキシコへの強制送還者の移送を請け負っており、米国内のますます抑圧的な移民政策と結託しています。しかし、滞在許可のない人々の移送過程において最もおぞましい抑圧行為が行われたのはここイギリスでした。

10月にロンドン大学のバークベック法科大学院で講演した際、民間団体「INQUEST」[12]の共同責任者であるデボラ・コールズ氏から、イギリスからアンゴラへの強制送還中にG4S

の警備員によって殺害されたジミー・ムベンガ氏の事件のことを聞きました。ムベンガ氏はブリティッシュ・エアウェイズの機内で、背後で手錠をかけられたまま、抵抗の声が漏れないように、違法である「カーペット・カラオケ」と呼ばれる拘束をされ、G4Sのエージェントによって強制的に前方座席に押し付けられました。違法であるにもかかわらず、法執行機関の拘束手法にこのような名称が使われていることにも驚きます。これは、被拘束者が「カーペットに向かって」、ムベンガ氏の場合は前方の座席に向けて「歌う」ことを余儀なくされる状態を指しており、これによって彼の抵抗の声は圧し殺され、聞き取れなくなります。ジミー・ムベンガ氏が40分間も押し付けられている間、介入した者はいませんでした。救急処置をしようとした頃には、彼はすでに亡くなっていました。

イギリスからアメリカまで、不法移民に対するこうした残忍な扱いは、我々に彼らの意思に反して「移民」に変えられたパレスチナ人との関連性について考えさせます。彼らの先祖が代々住んできた土地において、不法移民にさせられるということ。繰り返します、彼ら自身の土地においてです。G4Sやそれに類似する企業は、パレスチナ人を彼ら自身の土地に

▼12　警察や刑務所、移民主要施設、精神病院等などにおける公権力による死亡事件の捜査や真相解明、弁護などを行うイギリスの民間団体。

おいて強制的に彼らを移民に転化する技術的な手段を提供しているのです。

ここまでで分かったように、G4Sは世界中の私立刑務所の運営に関わっています。「南アフリカ労働組合会議（Congress of South African Trade Unions: COSATU）」は最近、フリーステート州のマンガウン更生センターを運営するG4Sに対して抗議の声を上げました。抗議のきっかけは、ストライキを行ったために約300人の警察組合員が解雇されたことでした。COSATUの声明によれば――、

G4Sの手口は、新自由主義的《ネオリベラル》資本主義とイスラエルにおける隔離政策《アパルトヘイト》の、最も憂慮すべき二つの側面を示している。「安全《セキュリティ》」のイデオロギーと、伝統的に国家が運営してきた分野の民営化の増加である。ここでいう「安全」とは、すべての人のための安全を意味していない。G4Sセキュリティ社の主要な顧客（銀行、政府、企業など）を見れば明らかなように、G4Sが掲げる企業スローガンの「世界を安全に」とは、搾取、抑圧、占領、人種差別の世界のことを指しているのである。

私が2年前にパレスチナを訪れた際、先住民と有色人種の女性学者・活動家の代表団と一緒でしたが、代表団のいずれのメンバーも実際にパレスチナを訪れたのは初めてでした。私

たちのほとんどは長年パレスチナ連帯活動に携わってきた者でしたが、イスラエル入植者による植民地主義的抑圧があまりに歴然かつあからさまであるのを目の当たりにし、一同心底ショックを受けました。イスラエル軍は、パレスチナの人々に与えている暴力の性質を隠そうとも、ごまかそうともしていませんでした。銃を持った軍人の男女――その多くは非常に若い――が至る所にいました。壁、コンクリート、有刺鉄線があらゆる場所に張り巡らされ、私たちの方が刑務所の内側にいるかのような印象を与えていました。パレスチナ人は逮捕される前から、すでに刑務所の中にいるのです。一つでも何か踏み外せれば、逮捕され刑務所に連行されます。屋外刑務所から、閉ざされた屋内刑務所に移されるのです。

G4Sがパレスチナにおけるこのような露骨な監獄状態を指揮していることは明白ですが、アメリカおよび世界全体で大量収監が増大していることと関係している数々の多国籍企業、利益優先的な動向も象徴しています。

我が国の拘置所、刑務所、軍事刑務所、先住民居住地域の拘置所、移民収容所などには、常に250万人近くの人が収監されています。これは1日あたりの個体数なので、毎週、毎月、あるいは毎年、このシステムを通過する人々の総数ではありません。この大多数は有色人種の人々です。[13] 中でも最も急成長しているセクターは、女性――有色人種の女性です。その多くはクィアかトランス〔ジェンダー〕です。実際のところ、有色人種のトランスの人々は、逮捕され、投獄される可能性が最も高い属性グループを構成しています。レイシズムは、産獄複合体の維持、再生産、拡大の燃料となっているのです。

ですから、我々が主張する産獄複合体の廃絶を訴えるのであれば、隔離政策《アパルトヘイト》の廃絶、パレスチナ占領の終了も訴えるべきなのです！

アメリカ国内で我々が占領下パレスチナの隔離政策を説明すると、非常に明確にアメリカ南部の人種隔離政策の歴史と酷似しているため——特に黒人の聴衆からは——しばしば次のような反応が返ってきます。「なぜ今まで誰もこのことを私たちに教えてくれなかったのか？　なぜ入植地と入植地を結ぶ隔離高速道路の存在や、ジム・クロウ法下のアメリカ南部で掲げられていた看板を思い出させる、歩行者の隔離を規制するヘブロン[14]の看板の存在を教えてくれなかったのか？　なぜ今まで誰もこの話をしてくれなかったのか？」

ホロコーストを生み出したファシズムに対して私たちが「ネヴァー・アゲイン（二度と繰り返さない）」と言うのと同じように、南アフリカやアメリカ南部の人種隔離政策に対しても「ネヴァー・アゲイン」と言うべきなのです。それには何よりもまず、我々がパレスチナの人々との連帯を広げ、深めていく必要があります。あらゆるジェンダーやセクシュアリティの人々、刑務所、分離壁の中の人々、外の人々と。

G４Sをボイコットせよ！　BDSに支持を！
パレスチナに自由を！
ありがとうございました。

▼13　性的少数者の総称として用いられている言葉。LGBTQのQを構成する「Queer」。
▼14　ヨルダン川西岸地区の県。

第5章　終幕と継続

ロンドン大学バークベック校でのスピーチ（2013年10月13日）

自由とはたゆみない闘いだという。
自由とはたゆみない闘いだという。
自由とはたゆみない闘いだという。
主よ、私たちはもうずっと闘ってきました。
自由にしてください、自由にしてください。

この講演のタイトルは、20世紀の解放運動中アメリカ南部で繰り返し歌われていた自由の歌に由来しています。この歌の他の節では、泣くこと、悲しみ、嘆き、哀悼、死ぬことを連想させる言葉が歌われています。自由とはたゆみない死だという／私たちはもうずっと死んできました／自由にしてください。

私はそれぞれの節の最後の一行の皮肉が好きです。私たちはもうずっと闘ってきました／私たちはもうずっと泣いてきました／私たちはもうずっと嘆いてきました／私たちはもうずっと悼んできました／私たちはもうずっと死んできました／自由にしてください、自由にしてください。言うまでもなく、この詩の中には諦めと約束が、批評とインスピレーションが共存しています。自由にしてください、自由にしてください。では、私たちは本当に自由でしょうか？

２００７年に、私はローラ・ヤング男爵夫人に招かれ、ここロンドンでイギリスの奴隷制廃止２００周年を記念する講演をすることになっていました。しかし、ロンドンに出発する予定だった日に私の母が亡くなり、直前に行くことができなくなりました。偶然にも、今年はアメリカにおける黒人自由闘争史上、大きな出来事の記念日が重なる年でもあります。そして、私はアメリカの奴隷解放宣言１５０周年と、アメリカにおける20世紀の黒人自由闘争の中で重要な複数の出来事の50周年であるこの年に、自由の意味について話してほしいという依頼を受けました。

まずは、今年50周年を記念する出来事のいくつかを思い出すことから始めましょう。今年はマーティン・ルーサー・キング・ジュニア博士が、州外からの扇動者であると非難されたバーミンガムでの組織化の決断について弁明した「バーミンガム刑務所からの手紙」の50周年です。「私は気づいている、すべての地域社会と州の相互関係を。アトランタでじっとしたまま、バーミンガムで起こっていることに思いを馳せないわけにはいかない。いかなる場所の不正も、あらゆる場所の公正への脅威となる」と彼は書きました。

この名言をご存じの方も多いことでしょう。「我々は、避けることのできない相互関係のネットワークの中の、運命という1枚の衣に織り込まれている。一人の人間への直接的な影響は、間接的にすべての人に影響を与えるのだ」。

これに続き、彼は過去の歴史に目を向けます。「2世紀以上もの間、我々の先人たちはこの国で無賃の労働をした。綿花を王にし、忌々しい不正と恥ずべき屈辱に苦しみながらも主人の家を建て、計り知れない生命力で繁栄と発展を続けてきた。奴隷制の筆舌に尽くし難い残酷さでさえも私たちを止められなかったのだから、我々が現在直面している反対勢力にそれができるはずはない」と。

今年はまた、「バーミンガムの子供たちの聖戦」の50周年でもあります。これはあまり知られていないかもしれませんが、バーミンガム運動が成功したのは、1963年5月初頭に大勢の学童たち――男児・女児共に――が、警察犬と強力放水砲に対峙する抗議行動を行ったからです。テレビで放映されたこのデモは、テレビがまだ普及し始めた頃だったことから、南部以外の人々が初めてデモの様子を目撃する機会となりました。黒人が自由のために闘い続ける意志の強さを、世界に知らしめたのです。

1963年は、約25万人が参加した「ワシントン大行進」[1]の年でもありました。当時、ワシントンでは史上最多人数が参加した集会でした。

今年の8月には、ワシントンで二つの行進がありました。一つはオバマ大統領とクリントン大統領が出席したもので、もう一つは現在の公民権運動の指導者であるとされる人物たちによるものでした。ここでは彼らの個人名には触れないでおきます。

そして、たくさんの50周年記念行事がありました。どの行進に参加すればいいか分からない人も多かったと思います(一つは24日、もう一つは28日だったと思います)。先月9月には、私が生まれ育った地であることをご存じの方もいると思いますが、アラバマ州バーミンガムでも様々なイベントが開催されました。

これらの行事は、4人の黒人少女が殺害された16番街バプティスト教会爆破事件から50年を記念して行われたものでした。式典のハイライトは、爆破で亡くなった4人の少女の遺族への、文民に対する最高位の賞である議会名誉黄金勲章の授与でした。この4人の被害者のうちの一人の、妹であるサラ・コリンズ(アディ・メイ・コリンズの妹)は、死は免れたものの爆破で片目を失う重傷を負いましたが、今日に至るまで医療費の公的援助を受けていません。

私がこうした式典の多くについて恐れているのは、歴史的な終幕を演出する傾向があるという点です。これらは最終的に勝利した民主主義への道筋における歴史的な見せ場を象徴する出来事、世界の模範となるものとして誇示されることで、いわゆる対テロ戦争でのドローン使用の増加を含む、特にパキスタンにおいて膨大な数の人々の殺害を引き起こした、軍事侵攻の正当化の理由として利用される可能性があります。

私はオバマ政権がドローン使用を増加させていることを批判しますが、ワシントン大行進50周年記念式典での彼の演説が、自由のための闘争をまだ未完のものとして表現しようとしていたこと、そして少なくとも終幕ではなく継続性に焦点を当てようとしていたことには同意せざるを得ません。しかし、古い格言を引用すれば、「行動は言葉よりも雄弁である」ということも付け加えなければなりません。

グローバルな大衆文化《ポピュラー・カルチャー》が、20世紀の黒人解放運動への言及で溢れていることは誰にも否定できません。マーティン・ルーサー・キング・ジュニア博士が世界で最も広く知られる歴史上の人物の一人であることは明らかです。アメリカ国内の40の州、ワシントン、DC、

▼1　キング牧師の有名な演説「I Have a Dream（私には夢がある）」が行われたことで知られる、黒人人種差別撤廃、職業と自由を求めたデモンストレーション。

プエルトリコには、キング博士の名前が付けられた通りが900以上あります。しかし、こうした地名の適用は、このような命名の慣例について研究してきた地理学者によって、教育、住宅、雇用の欠如といった継続的な問題を覆い隠すための監獄戦略など、根強い社会問題から注意をそらすために利用されてきたことが指摘されています。

キング博士にちなんで名付けられた通りが900以上ある一方で、同時に約250万の人々がアメリカの拘置所、刑務所、少年院、軍事刑務所、先住民居住区の拘置所の中にいます。アメリカの人口が地球全体の5パーセントなのに対し、これらの施設内の人口は世界の被収容者人口の25パーセントを占めています。全世界の囚人人口の25パーセントが、奴隷制時代から解決されていない社会問題を隠蔽するための戦略と、そこから利益を得てグローバルに展開する巨大な産獄複合体の餌となっているのです。

その上、警察の暴力と人種差別的な自警団による暴力もピークに達しています。アメリカにおけるトレイヴォン・マーティン事件は、ここではスティーヴン・ローレンス事件[2]を思い出させるでしょう。イスラモフォビア〔イスラム嫌悪〕暴力もまた、黒人差別暴力の歴史に追随することで増幅されています。黒人解放運動の文化は、地理的には隅々にまで知れ渡っていますが、運動そのものについての知識はごく抽象的なものでしかありません。

きっとマーティン・ルーサー・キング・ジュニア博士のことを知っているほとんどの人々、

つまり世界の大多数の人は、彼に「夢があった」という事実以上のことをあまり知らないのではないかと思います。もちろん、私たちの誰もが夢を持っていたことがあります。実際に、「私には夢がある」というスピーチは彼の演説の中でも最も広く知られています。

リバーサイド教会におけるベトナムについてのスピーチや、彼が黒人解放運動とベトナム戦争終結運動の相互作用と相互関係を認識するようになった経緯を知る人は比較的少数です。そのため、自由という概念の地理学と一時性についての、より複雑な知識を構築するための20世紀解放運動の理解は抑制されてきました。

黒人解放運動というと、一般的には主に１９５５年のモンゴメリー・バス・ボイコット事件に端を発する、一連の歴史的出来事のことを指します。そして、そのボイコットの結果として現れ、注目を集めるようになったマーティン・ルーサー・キング・ジュニア博士が、どういうわけか、常に初めから公民権運動の弁論者で指導者であったように思われています。

１９５５年のボイコットにおいて女性が果たした役割については、学術的にも大衆的にも

▼2　１９９３年にロンドン南東部エルタムのバス停でバスを待っていた当時18歳の黒人少年が、5名の同じく10代の白人少年のグループに襲われ刺殺された事件。当時容疑者として逮捕された5名は証拠不十分として不起訴となり、警察の組織的な人種差別も問題視された。再捜査を経て、19年後の２０１２年にこのうちの2名に、人種差別に基づいたヘイトクライムであったとして有罪判決が言い渡された。

多くの著作に記されているにもかかわらず、キング博士がまだ全く無名だった頃にすでに形成されていたムーヴメントのスポークスマンとして招き入れられたにもかかわらず、今もなおキング博士が運動を代表する人物とされています。

このことから私が思いを巡らせるのは、ラディカルな組織化によって生み出された歴史上の集合的な題材を、我々は忠実に認識することができるようになるのか、ということです。例えば、1930年／1940年代の初期の頃に「南部黒人青年会議（Southern Negro Youth Congress）」として知られていた組織のような事例を指しているのですが、この組織は主要な指導者の一部が共産主義者であったため、公式の歴史的記録物からはほとんど除外されています。

キャロル・ボイス・デイヴィース[3]が、クラウディア・ジョーンズ[4]についての素晴らしい著書『カール・マルクスの左側』[5]〔未邦訳〕の中で示しているように、クラウディア・ジョーンズは「黒人青年会議（Negro Youth Congress）」（アメリカ黒人青年会議［The American Negro Youth Congress］と南部青年会議［The Southern Youth Congress］）のリーダーの一人でした。私がジョーンズに言及するのは、彼女がアメリカで重要な功績を残しただけでなく、アメリカでの活動のため逮捕され、最終的に国外追放された後、ここイギリスでもカリブ系コミュニティの組織化において中心的な役割を果たした極めて重要な人物だからです。

歴史上の主体が有力な個人、有力な男性個人として描写されてきたことに、我々はどう対抗し、例えば黒人の家政婦たちが黒人解放運動で果たした役割をどう明らかにしていくことができるでしょうか？

指導者や大統領、立法者の努力によってではなく、むしろ平凡な人々が批判的な姿勢を身につけ、自らと現実との関係を認識するようになったことによって人種隔離政策という社会制度は廃止されたのです。それまで不変で不可侵のように見えていた社会的現実が、人々の影響が及ぶ変容可能なものであるとみなされるようになった。そして人々は、白人至上主義の原則のみに支配されない世界で生きることがどのような意味を持つのか、想像することを学んだのです。このような集団意識は、社会闘争の文脈の中で生まれました。

オルランド・パターソン[6]は、西洋では非常に大切にされてきた、また世界各地でも多くの

▼3　トリニダード・トバゴ出身、コーネル大学のアフリカーナ・スタディーズ教授で、アフリカン・ディアスポラ研究の権威として同分野で多数の受賞歴がある。

▼4　トリニダード・トバゴ出身のジャーナリスト兼アクティヴィスト。幼少期にアメリカに移住し、共産党員、ブラック・フェミニストとなるが1955年に国外追放されイギリスに渡る。カリブ海文化を祝福するロンドンのノッティングヒル・カーニヴァル創始者としても知られる。

▼5　Carole Royce Davies『Left of Karl Marx: The Political Life of Black Communist Claudia Jones』(2008).

▼6　アフリカ系ジャマイカ人の、ハーバード大学社会学教授。『世界の奴隷制の歴史』（明石書店）の著者。

歴史的革命を触発してきた「自由」という概念は、奴隷によって初めて想像されたものであるはずだと主張しています。20世紀の黒人解放運動時代、奴隷に最も近い苦境を強いられていたのは、奴隷の子孫の黒人家政婦たちでした。家の掃除や料理、洗濯をしていた女性たちのことです。

事実、1950年代、黒人女性の約90パーセントが家政婦として働いていました。1955年にアラバマ州モンゴメリーでバスを利用していた人々の大半が黒人の家政婦だったという事実を踏まえると、黒人家政婦たちには人種やジェンダー、経済的な抑圧のない未来の世界を描く素晴らしい集団的想像力があったと推測できるわけですが、それを認めることはなぜ難しいのでしょうか？

アラバマ州モンゴメリーの貧しい黒人コミュニティから裕福な白人コミュニティへの〈人種隔離された〉バス乗車を拒否した女性たちの名前を私たちが知らなかったとしても、せめて彼女たちの集団的な功績を認めるべきではないでしょうか。彼女たちの拒否、批判的な拒否行動がなければ、ボイコットは成功しませんでした。それがなければ、マーティン・ルーサー・キング・ジュニア博士のような人物が台頭することもなかったかもしれません。

この中でアメリカの公民権運動、アメリカの解放運動の歴史を勉強したことがある人は、ファニー・ルー・ハマーという名前に聞き覚えがあるかもしれません。彼女は小作人であり、家政婦でもありました。１９６０年代は綿花農園でタイムキーパーをしていました。そして彼女は、学生非暴力調整委員会（Student Nonviolent Coordinating Committee: SNCC）のリーダーとして、またミシシッピ州自由民主党のリーダーとして頭角を現します。彼女はこう言いました。「人生で私はずっと、うんざりしてきました。今、私はうんざりすることにうんざりしています」。

彼女は１９６４年に、全国民主党大会で白人の民主党代表者のみに割り当てられた席を、自らの所属する人種統合されたミシシッピ州自由民主党のメンバーに譲るよう要求したことで全国的な注目を集めました。多くの意味で、彼女はバラク・オバマに道を開いたと言えます。でも、その話はまた別の機会に。

今年は50周年が重なる年であるだけでなく、アメリカの奴隷解放宣言から１５０周年の年でもあります。興味深いことに、残念ながら、私たちは全国的な記念行事が行われるという話をまだ聞いていません。こちらイギリスでは少なくとも奴隷制廃止２００周年を祝う機会があったことを思い出しますが、当然ながら皆さんにとってはウィリアム・ウィルバーフォース[7]が立役者だと思いますので、なぜここではウィルバーフォースのような人物が奴隷制廃

▼7　19世紀初頭のイギリスで奴隷貿易および奴隷制廃止運動の指導者を務めた政治家、社会実業家。

止の象徴になっているのかを問うべきです。

我々の場合は、大規模な記念式典への参加すら求められていません。おそらくそれに最も近かったと言えるものが、大衆向け映画『リンカーン』(2012年)の公開で、憲法修正第13条が可決されるまでの取り組みに焦点を当てた内容です。第13条可決の150周年は2年後に迫っています。奴隷解放宣言は、アフリカ系の人々の解放を制定したことよりも、実は軍事戦略としての歴史的意義の方が大きい。とにかく、この歴史的な節目の意味を検証するためには、奴隷解放の成功だけでなく失敗についても把握しておくべきです。

私たちが奴隷解放宣言の意義について考えるよう促されていないのは、そうすることで真の意味でまだ解放されていないことに私たちが気づいてしまうからではないか、と考えたことがあります。いずれにせよ、リンカーンが奴隷を解放したという通俗の神話が、映画『リンカーン』も含む大衆文化に浸透している中で生き続けている私たちは、せめて奴隷解放の弁証法の理解を深めることはできます。奴隷を解放したのは、リンカーンではありません。

私たちはまた、20世紀半ばの公民権運動が「二流市民」を解放したという神話と共に生きています。当然、公民権は当時要求されていた自由に不可欠な要素を構成していますが、それがすべてではありません。エリック・フォーナー[8]は、『業火の試練――エイブラハム・リンカンとアメリカ奴隷制』(白水社)という著書の中で、次のように述べています。以下に引用します。

奴隷解放宣言は、おそらくアメリカ史を形成する文書の中でも最も誤解されているものである。その伝説に反し、リンカンは彼の一筆で400万人近くの奴隷を解放したわけではない。四つの境界州[9]の奴隷たちは反乱に参加していなかったため、その対象外であった。同宣言はまた、連合国が占領していた一部の地域も除外するものでもあった。全体で約75万人が奴隷のまま取り残された〔原書より訳出〕。

そして言うまでもなく、エイブラハム・リンカーンがこの奴隷解放宣言を発表したことによって奴隷制の終焉が実現されたという通俗的な言説は、黒人たち自身の主体性を抹殺しています。それでも、リンカーンには賞賛されるべき点があると私は思います。それは、南北戦争に勝利するための唯一の希望は、黒人が自分たちの自由のために闘う機会を作ることにあると知っていた明敏さであり、それこそが奴隷解放宣言の意義です。

▼8　コロンビア大学歴史学科教授を務める歴史学者。特に奴隷制廃止後の「リコンストラクション」期の先駆的な研究者で、『業火の試練――エイブラハム・リンカンとアメリカ奴隷制』はピュリッツァー賞を受賞している。

▼9　デラウェア州、ケンタッキー州、メリーランド州、ミズーリ州。

この映画はこちらでも上映されましたか？　最初の場面の一つで、2人の黒人兵士との会話を覚えているでしょうか？　おそらくこの映画の中で最も大事なシーンだと思うので、上映に遅刻した人たちはこの映画で最も重要な瞬間を見逃してしまったことになります。

　これに関連し、私はW・E・B・デュボイスと彼の著書『アメリカの黒人復興期《ブラック・リコンストラクション》』▼10〔未邦訳〕の第4章を思い出したいと思います。彼は奴隷解放宣言の帰結を「ゼネスト」と定義しました。労働運動の語彙を使ったのです。そして、実際に「ゼネスト」という見出しが付けられた第4章には次のような記述があります。「いかに南北戦争が奴隷解放を意味し、黒人労働者がゼネストによって戦争に勝利したかといえば、それは彼らの労働力が南部の農園主から北部の侵略軍へ移されたからであり、その戦線部隊において従事者が新たな労働力として組織化されたからである」。

　このように、デュボイスは戦勝の要因は奴隷による労働力の引き上げと供与であったと主張しています。彼が言うところの「ストライキ労働者の部隊」が、最終的に20万人の兵を提供し、「彼らの確かな戦闘能力が戦争の行方を決めた」としています。これらの兵士の中には、ハリエット・タブマン▼11のように、兵士として、スパイとして参戦しながら、後に兵士年金を勝ち取るために何年も闘うことを強いられた女性も含まれていました。

　南北戦争直後は、アメリカ史の中で最も知られざる時代の一つです。それが「ラディカル・リコンストラクション」期です。間違いなく、アメリカ合衆国全史の中で最もラディカルな時代でした。この時代については、歴史書にもほとんど記述がありません。黒人議員が選挙で選ばれ、公教育も発展しました。実は、公教育を受ける権利を求めて闘ったのは元奴隷たちです。つまり、ここイギリスの教育制度のように、お金のかからない教育を求めて闘ったのです。補足しておくと、それはつまり商品化されていない教育ということです。事実、南部の白人の子供たち、教育を受けていなかった貧しい白人の子供たちは、元奴隷たちの闘争の直接的な成果として、教育を受けられるようになったのです。男性至上主義に挑戦する進歩主義的な法律も可決されていました。このような時代があったことは、ほとんど知られていません。

今で言うところの「歴史的に」黒人中心のカレッジや大学ができたのがこの時代で、経済発展も遂げていました。しかし、それほど長くは続きませんでした。奴隷制が廃止されたのが1865年だとしてその直後から始まり、ラディカル・リコンストラクションが覆された1877年までの間でした。そして、それは覆されただけでなく、歴史的記録からも抹消さ

▼10　W. E. B. Dubois『Black Reconstruction in America, 1860–1880』(1935).
▼11　奴隷制廃止運動の活動家。自身も奴隷制から逃亡し、その後多数の奴隷たちの逃亡を手伝ったことで知られる。女性の参政権運動にも寄与した。

れました。つまり、100年後の1960年代に我々が突きつけた多くの課題は、1860年代に解決されているべきものだったのです。

何を隠そう、20世紀半ばの解放運動によって劇的な挑戦を受けることになったクー・クラックス・クランと人種隔離政策が誕生したのは、奴隷制の下ではなく、むしろ自由の身となった黒人を管理するためでした。こうした弊害がなければ、すべての人々のための民主主義の推進に、黒人はもっと成功していたことでしょう。

このようにして、我々は黒人解放運動の弁証法的発展を見ることができます。解放運動の範囲を狭め、公民権というずっと小さな枠に収めようという力が働いてきました。公民権が極めて重要であることは否定しませんが、「自由」は公民権よりもずっと包括的な概念です。そしてその運動は成長し発展する中で、アフリカ、アジア、ラテンアメリカ、オーストラリアの解放闘争に触発され、また逆に彼らを触発してきました。社会に完全に参画するための正式な権利を獲得できるかだけでなく、むしろ実質的な権利が求められていました。雇用、無料の教育、無料の医療、適正な価格の住宅、黒人コミュニティにおける人種差別的な警察の占拠を終わらせることなどです。

こうした流れの中で、1960年代にはブラックパンサー党（以下BPP）のような組織が作られました（BPPが創設されたのは1966年ですから、もうすぐ50周年のお祝いをしなければなりませんね！）。例えば、ＢＰＰの「10項目綱領」のような内容をどう訴えていけばいいでしょうか。ここで「10項目綱領」を要約してみますが、これを踏まえると、なぜＢＰＰの50周年記念の盛大な式典の開催が企画されていないのか、その理由が理解できるかもしれません。


第一、我々は自由を求める。

第二、完全雇用。

第三、資本家による黒人と抑圧されたコミュニティからの収奪を終わらせること。――彼らは反資本主義《アンチキャピタリスト》だったのです！

第四、人間の居住に適した、妥当な住宅。

第五、我々の人民のために、この退廃的なアメリカ社会の本質を明らかにする適切な教育を望む。我々は、我々の真の歴史と現代社会における我々の役割を指導する教育を望む。

第六、すべての黒人および抑圧された人々のための完全に無料の医療を望む。――これは、オバマ政権がアメリカの貧困層向けの医療保険制度を整備するために行った非常に小さな取り組みを、帳消しにしようと圧力をかけた右翼との関連性も含め、特に重要な点です。

第七、我々は、警察の残虐行為と、黒人やその他の有色人種の人々、そして米国内すべての抑圧された人々の殺害の即刻終止を望む。

第八、我々は、すべての侵略戦争の即刻終止を望む。――今日においても有効な要求であることが分かります。

第九、我々は、現在アメリカの連邦、州、郡、市、軍の刑務所および拘置所に収容されているすべての黒人および抑圧された人々の自由を望む。我々は、この国の法律の下で「犯罪」とされる行為で起訴された者すべてに、同胞の陪審員による裁判を望む。

第十、我々は、土地、食料、住宅、教育、衣服、正義、平和、そして現代技術の、コミュニティによる管理を望む。


このマニフェストで興味深いのは、19世紀の奴隷制廃止論者《アボリシヨニスト》たちの構想を要約している点です。19世紀の最も進歩的な奴隷制廃止論者たちは、奴隷制を否定的に廃止するだけでは奴隷制を終わらせることはできないということ、むしろ元奴隷たちを新たに発展する民主主義に組み込んでいく制度を整備する必要があるということを、すでに認識していたのです。

1966年に結成されたBPPのこの綱領は、19世紀の廃止論者の構想を再現しており、それが21世紀のアボリショニズム構想にも共鳴し続けています。

BPPのメンバーである、ハーマン・ウォレスのことはご存じの方もいるかもしれません。彼は、政治犯解放運動に関わる者たちの間では、「アンゴラ・スリー」[12]の一人として知られています。41年間を独房で過ごした後、今月1日に釈放されましたが、その3日後の10月4日に亡くなりました。ハーマン・ウォレスに興味のある方は、彼がコラボレーションした『ハーマンが建てた家（The House That Herman Built）』[13]という美術作品をご覧になるといいと思います。彼は美術家から、どのような家に住みたいか依頼されて想像するのですが、それはほぼ半世紀にわたって彼が6×9フィート〔約183×274センチメートル〕の独房で生活し続けたという状況を踏まえてです。

もう一人のBPP党員アサータ・シャクール[14]は、1980年代にアメリカの刑務所から脱走後キューバに政治亡命した人ですが、先日、60歳という年齢で「世界10大最重要指名手配

▼12　「アンゴラ刑務所」として知られるルイジアナ州立刑務所の独房に何十年も収監された政治犯、ロバート・キング、アルバート・ウッドフォックス、ハーマン・ウォレスの3名の通称。

▼13　ジャッキー・スメルという美術家兼アクティヴィストの作品。この作品の制作過程を追った『Herman's House』（2012年）というドキュメンタリー映画もある。

▼14　ラッパー2パックの教母としても知られる。

テロリスト」の一人に指定されたばかりです。作家であり、芸術家でもあり、キューバで生活をしているアサータ・シャクールは現在、10大最重要指名手配テロリストのリストに掲載されたことで提示された200万ドル〔約2・1億円〕の報奨金を狙う、ブラックウォーター社[▼15]型の傭兵を恐れて生活しなければならなくなりました。

余談ですが、今年5月にこのことを知った際、私自身が10大最重要指名手配リストに載った時のことを思い出しました。当時は〔そのようなリストが〕なかったと思うので、10大最重要指名手配テロリストに指定されることはありませんでしたが、10大最重要指名手配リストには載りました。私は武装しており、危険だということになっていました。その頃、「これは一体何なのか?」、「私が何をするというのか?」ということを自分でも考えていました。そして気づいたのです。これは私のことではない、個人のことではないと。そうではなく、不特定多数の、当時自由闘争に参加する可能性があった人々に、それを思い留まらせるメッセージを送ることだったのです。

アサータ・シャクールは国土安全保障省とFBIによると、世界で最も危険なテロリスト10名のうちの一人ですが、私は自分がアラバマ州バーミンガムでの幼少期に経験した暴力、爆弾が繰り返し仕掛けられ、家が破壊され、教会が破壊され、命が奪われたことを考えます。それらの行為は、未だにテロ行為とは呼ばれていません。

テロリズムは外部からのもの、外側のものとして表現されますが、実は極めて国内的な現象です。テロリズムは、アメリカ合衆国の歴史を大きく形作ってきました。19世紀の反奴隷制闘争と、20世紀の公民権闘争と、21世紀のアボリショニスト闘争――ここで言うアボリショニスト闘争とは、主に刑罰の支配的な手段としての投獄の廃止、産獄複合体の廃止を目指す運動を指しています――これらの連続性を認めるためには、それぞれを終幕することで20世紀の自由闘争を前世紀と後世紀から隔絶しようとする動きに対する挑戦を必要とします。

これらの時間的な連続性を認識するだけでなく、水平的な連続性、つまり今日の様々なムーヴメントや闘争との相互関係を認識することは、私たちの責務です。そこで、私は特に現在も進行中のパレスチナにおける主権闘争について言及しておきたいと思います。パレスチナでは最近になって、「フリーダム・ライダー」[16]たちが、イスラエル国家の隔離政策《アパルトヘイト》の慣行に反対するために行動を起こしました。

▼15　アメリカの民間軍事会社。アフガニスタンやパキスタンで、テロリストの暗殺などＣＩＡの秘密任務を請け負ったとされている。

▼16　イスラエルが占拠するヨルダン川西岸地区内の、イスラエルのバス会社が運行する人種隔離されている（パレスチナ人は乗車できない）バスに、抗議運動として乗車するアクティヴィストたち。言うまでもなく、アメリカの公民権運動のきっかけとなったローザ・パークス、およびモンゴメリー・バス・ボイコット事件に倣っている。

もう、ずいぶんと話し続けてしまいました。「終幕」の批判を展開した後ではありますが、時間の制約から、今晩の講演は終わらなければなりません。そこで、「開幕」によって締めくくりたいと思います。世界中の人々が今、グローバル・コミュニティの一員として、外国《ゼノ》人嫌悪《フォビア》や人種差別のない世界を作るために共に闘いたいと言っています。貧困が根絶され、食料の入手が資本家の利益の要求に左右されない世界。モンサント社のような企業が犯罪者とみなされるような世界です。ホモフォビアやトランスフォビア、投獄という刑罰や障害者を幽閉するような施設が、本当に歴史的遺物と呼べるような世界。そして誰もが環境とそこに生きる生物、人間もそうでないものも含めたすべての生き物を尊重する方法を学び、共生する世界を目指して。

第6章　マイケル・ブラウンからアサータ・シャクールまで
──根強いレイシズム国家アメリカ

英『ガーディアン』紙への寄稿（2014年11月1日）

人種差別的な国家暴力は北米のアフリカ系住民の歴史の中では一貫したテーマであるが、その当選が新たな脱人種主義時代《ポスト・レイシャル》の到来を告げるものとして幅広く受け止められた、初代アフリカ系アメリカ人大統領の政権下においては特に注目すべきものとなった。警察による黒人の若者の殺害がこれほどまでに繰り返されている事実は、これらが孤立した異常事態であるという思い込みと矛盾する。フロリダ州のトレイヴォン・マーティンとミズーリ州ファーガソンのマイケル・ブラウンは、オバマ政権下で警察や自警団によって殺害された数え切れない黒人被害者の中で最も広く知られている事例にすぎない。そしてこれらの事件は、奴隷パトロールからクー・クラックス・クラン、現代のプロファイリングの実践から今日的な自警団に至るまで、公務と超法規的行為の両方を含む、人種差別的暴力の切れ目のない連続性を示している。

30年以上も前にキューバに政治亡命を認められたアサータ・シャクールは、以来キューバで生活し、学習し、生産的な社会の一員として活動してきた。アサータは1970年代前半にアメリカで何度も不当に起訴され、メディアからは中傷を受け続けた。マスコミは彼女を、貪欲に暴力的な傾向を持つ集団として描写された黒人解放軍の「母雌鶏〔世話焼きの女〕」といった性差別的な言葉で表現した。FBIの10大最重要指名手配犯リストに掲載された彼女は、武装強盗、銀行強盗、誘拐、殺人、警官の殺人未遂の容疑で起訴される。彼女は10件の異なる訴訟の対象となり、すでにメディアによって有罪が宣告されていたが、そのうちの1件――彼女が逮捕された結果行われたもの――を除くすべての裁判は無罪放免、陪審員不一致、または棄却という結果に終わった。しかし彼女は極めて疑わしい状況下で、最終的にニュージャージー州警察官殺害の共犯者として有罪判決を受ける。

彼女に対して展開された元の作戦から40年後、FBIはもう一度彼女の悪魔化を試みた。州警察官ワーナー・フォースターが殺害された、ニュージャージー州の高速道路銃撃事件の40年という節目の昨年、アサータは儀式的にFBIの10大最重要指名手配テロリストに正式に追加されたのだ。多くの者にとってFBIのこの行動は奇妙で不可解なものであり、当然の疑問を抱かせた。過去35年間をキューバで静かに暮らしてきた66歳の黒人女性を、世界で最も危険なテロリストの一人に認定し、イラク、アフガニスタン、シリアへの軍事攻撃を誘発したとされる人物たちと同じリストに名前を加えることで、FBIに何の得があるというのか？

この問いに対する部分的な――しかし、おそらく決定的な――答えは、「テロ」の定義の範囲を、空間的にも時間的にも拡大することにあると思われる。アパルトヘイト下の南アフリカ政府がネルソン・マンデラ氏とアフリカ民族会議を「テロリスト」と認定して以来、この用語は1960年代後半から70年代前半にかけてアメリカの黒人解放活動家にも広く適用された。

ニクソン大統領の「法と秩序」のレトリックは、ブラックパンサー党のようなグループにテロリストというレッテルを貼ることを必然とし、それに伴い個人である私にも同様の認定をした。しかし、テロリストが西洋諸国の「民主主義」の普遍的な敵となったのは、ジョージ・W・ブッシュが2001年9月11日直後に、グローバルな対テロ戦争を宣言してからである。アサータ・シャクールを今日推定されるテロリストの陰謀と同列に扱うことは、彼女の功績を引き継いで人種差別と資本主義との闘いを続けてきた人々を「テロリストの暴力」という天蓋の下に引きずり込むことである。さらに、アサータの住むキューバに歴史的に向けられてきた反共主義は、反テロリズムと危険な形で結合されてきた。「キューバン・ファイヴ」[1]の事例は、その典型例である。

対テロ戦争を21世紀の西洋民主主義プロジェクトの広義の呼称とすることは、ムスリム差別を正当化し、イスラエルによるパレスチナ占領をさらに正当化し、移民に対する弾圧を再定義し、間接的に全国の地方警察の軍事化を推進した。警察署――カレッジや大学のキャンパス内の出張所を含む――は、イラク戦争やアフガニスタン戦争で余剰となった軍需品を国防総省の「余剰所有物プログラム（Excess Property Program）」を通じて入手している。この結果として、最近のマイケル・ブラウン殺害事件を受けて警察の人種差別的暴力に抗議したデモ隊は、迷彩服を着て軍用武器で武装し、装甲車を操縦する警察官と対峙することになったのである。

中西部の小さな町で黒人の10代の若者が警察に殺されたことに対する世界的な反応は、アメリカの人種差別が減少しているとされている時代に、それがまだ根強く残っているという認識が広まっていることを示唆している。アサータの事例が伝えているのは、反人種差別闘争を拡大し、深化させることの必要性である。今年再出版された彼女の自伝（『Assata: An Autobiography』［１９８７年］）の中で彼女は、黒人の進歩主義的な闘争の伝統を思い出させながら、私たちにこう要求している。「続けよう／子供たちに伝えよう／伝えよう、続けよう……／自由のために！」

▼1　アメリカのキューバに対するテロ活動を防止するために活動していた5名のキューバ人の諜報員を指す。スパイ容疑で不当に逮捕され、アメリカ国内の刑務所に長年拘束された。

第7章 「真実を伝えるプロジェクト」——アメリカにおける暴力

ミズーリ州セントルイスでのスピーチ（2015年6月27日）

「真実を伝えるプロジェクト」[1]で、素晴らしい仕事をしてくださっているコーリ・ブッシュ牧師[2]とデヴィッド・ラグランド博士に敬意を表します。ファーガソンの抗議者《プロテスター》やセントルイス地域の様々なアクティヴィストが集うこの会に、私を招いてくださったことに深く感謝します。アメリカにおける暴力の永続性について熟考し、原初から我々の世界を悩ませてきた

▼1 The Truth Telling Project. 歴史的に抑圧されてきた人々の真実を伝え、知識として共有することで国家的暴力と制度的人種差別のない社会を目指す、黒人、先住民コミュニティ、その他有色人種の活動家、アーティスト、学者などによって構成されているプラットフォーム。

▼2 ファーガソン事件を機に政治活動を始めたアクティヴィストで現在は政治家。2018年に下院議員選に出馬するが敗退。2020年に再度出馬し、ミズーリ州初の黒人の女性連邦議会議員となり、民主党の中でも特に急進的な女性議員グループ「ザ・スクワッド」の新メンバーとなった。

悪質なレイシズムの新旧の意味、および長い間認められることのなかった真実を探求することの機会に、皆さんとご一緒できることを光栄に思います。我々は、植民地化の歴史的過程が、土地とそこに居住していた人間に対する暴力的な征服であったことを理解しています。だからこそ、この土地に先住していた人々に対して繰り広げられた大量虐殺を伴う攻撃が、その後の様々な形態の国家暴力および自警団による暴力の、基礎的な領域になったという事実を確認することは極めて重要です。さらに、奴隷貿易を含んだヨーロッパ諸国による植民地化の暴力は、アフリカ、アジア、中東、アメリカに共通する歴史の構成要素です。言い換えれば、今日私たちが目の当たりにしている暴力には、長く大きな歴史があります。だからこそ、それに抵抗するためには、人種差別的暴力の現代的な様式を我々が理解し、入植者のアメリカ先住民に対する植民地時代の暴力とアフリカ人に対して振るわれた奴隷制の暴力という、歴史的な暴力の定着によるものであるという認識を、しっかりと包括的に受け入れる必要があります。今日我々がこうして続けている努力は、平等、正義、自由を求める地球規模の闘争が未完の状態であることの証なのです。

私の実妹であるファニア・デイヴィス[3]をはじめ、真実を伝えるプレゼンテーションをしてくれたすべての発表者にも感謝します。彼女は、初めてファーガソンを訪れた時から、このプロジェクトに携わってきました。昨年夏の、マイケル・ブラウン殺害事件後の抗議行動から約1年が経とうとしています。今朝、妹と私は彼が殺害された現場の地面に触れ、プロテスターたちが歩いたファーガソンの道を辿りました。会場の皆さんの中にも、ファーガソンのプロテスターの方がたくさんいると思いますが、私がこの瞬間この場所にいることをどれほど光栄に感じているかを伝えさせてください。レイシズムと警察暴力に対する現在の闘争に共鳴するすべての人たちと同様に、私も「ファーガソン」、「マイケル・ブラウン」という名前を何度も口にしてきました。国の内外を問わず、私にとっても世界の人々にとっても、ファーガソンに触れることはすなわち、闘争、不屈の精神、勇気、そして未来への集団的ヴィジョンの喚起を意味します。

皆さんの不屈の精神に、世界がどれほど共鳴しているかが分かるエピソードをお話ししましょう。昨年9月、私はサヴォーナというイタリア北西部、ジェノヴァ近郊の人口約6万人の町に、キューバン・ファイヴについて講演するために招待されて訪れたのですが、現地の人々はファーガソンの抗議運動のことを熱心に追っていました。私の講演の聴衆は、キューバへのテロ攻撃を阻止しようとして1998年にアメリカ政府に逮捕された5名のキューバ人を解放するため、長年活動してきた人々でした。ご存じかもしれませんが、最後の3名は

▼3 公民権や市民活動を専門とする弁護士として長年活躍し、「修復的司法」を提唱する活動家であり、教育者でもある。

四人交換によって昨年12月に釈放されました。今晩私たちがここに集っている裏で、ヨハネスブルグ市はキューバン・ファイヴを、世界中の人々の集団的決意と16年間に及ぶ自由のための絶え間ない闘争を象徴する英雄として称えています。お伝えしたいのは、私がサヴォーナに到着した時、人々はマイケル・ブラウンやファーガソンのことも聞こうと熱心に待ってくれていたということです。彼らはファーガソンのプロテスターたちの行動を、キューバン・ファイヴの解放を含む、地球規模の自由実現のための重要な一歩であると捉えていたのです。

今日の午後、私がここにいる第一の理由は、リーダーシップを発揮するためでも、今後の方向性をアドバイスするためでもありません。そのような議論にも喜んで参加しますが、それがここに来た理由ではありません。今こうしてここにいるのは、ファーガソンのアクティヴィストたちに感謝を伝えたいからなのです。あなた方は、闘争の炎を途絶えさせませんでした。家に帰れ、日常に戻れ、と言われても引き下がらなかったことで、ファーガソンを世界的な抵抗のシンボルにしたのです。安易な解答、手近な答え、型通りの解決策に飛びつきがちなこの時代に、ファーガソンのプロテスターたちは「ノー」を突きつけた。今後も黒人コミュニティに対する暴力の問題を、可視化し続けることを固く誓っていた。あなた方は、単純な答えで解決しようという思考を拒否し、この問題が、犠牲となった黒人やその命を守るために行われてきた無数の闘争が眠る墓地に、共に埋められてしまうことを許さなかった。ですから私は、諦めず、家に帰らず、ミズーリ州ファーガソンの路上で私たちの自由を主張し続けてくれた皆さんに、何百万人という人々と共に感謝します。その力強さによって、ファーガソンは、パレスチナから南アフリカ、シリアからドイツ、ブラジルからオーストラリアまで、進歩主義的《プログレッシヴ》な抗議行動の代名詞となりました。

そのすべてが始まった場所に、こうして来られたことに感動しています。約1年前にマイケル・ブラウンが殺害された時、ファーガソンの活動家たちは、不要な犠牲となってしまったこの青年のためだけでなく、その他の数え切れない犠牲者たちのためにも立ち上がると宣言しました。もしファーガソンの前例がなければ、ニューヨークのエリック・ガーナー、クリーヴランドの12歳のタミール・ライス、サウスカロライナ州のウォルター・スコット、ボルチモアのフレディ・グレイに意識を集めるよう強く動かされることもなかったかもしれません。もしファーガソンの前例がなければ、ワシントンDCのミリアム・キャリー、シカゴのレキア・ボイド、ロサンゼルスのアレシア・トーマスの事件を思い出すこともなかったかもしれません。黒人女性や有色人種、クィア・コミュニティ、パレスチナの活動家たちが公的に容赦された人種差別的暴力の対象になっていることにも注目を集めさせたファーガソンのプロテスターたちがいなければ、より良い世界を築くために必要とされる努力について、これほど広範な見解を共有することはできていなかったかもしれません。

我々はサウスカロライナ州チャールストンでの惨劇[4]を、レイシズムが21世紀に入って15年も経過した今でも根強く存続していることを認識し、世界各地の人々を結びつけるような形で経験することもなかったかもしれません。私たちは、たとえ合法的な隔離政策が歴史上廃止され、個人の人種差別的態度の表現がそう生ぬるくは許容されなくなっても、構造的人種差別が存続し続けていることを見極める柔軟な能力を身につけるため、個人やシンボルの先に注意を向ける必要があることに気づかなかったかもしれません。当然のことながら、南部連合国旗がやっと撤去されるようになったこと[5]は喜ぶべきです。50年以上にわたって公民権への反対、黒人の平等への反対、反黒人・反ユダヤ主義的暴力を公然と象徴してきた南軍旗は、私たちの公的な政治構造からやっと姿を消し始めたようです。しかしながら、我々が直面する課題はレイシズムのシンボルのみならず、いかにその構造を識別し、挑戦していくかということです。

オバマ大統領の任期も終盤という時期になって、レイシズムというパンドラの箱が開いたのは興味深いことです。でも、それを慌てて閉じようとしている人々が大勢います。２０１1年にトロイ・デイヴィスが死刑執行を目前にした時、我々は彼の命を救うため必死で強力なムーヴメントを構築しようとしました。しかし、構造的人種差別の存続における極刑の重要性についての一般的な理解は、誰も無視できないような集団的要求を生み出すほど強くはありませんでした。2012年にトレイヴォン・マーティンが殺害された時の、「トレイヴォン・マーティンに正義を!」という叫びは、反レイシズム運動を構築しなければいけないという緊急性に人々を目覚めさせました。しかし、我々は加害者であるジョージ・ジマーマンという個人にやや極端に注目しすぎたために、人種差別的暴力の構造、具体的には自警団による暴力と国家的暴力の相互関係を特定するに至りませんでした。でも、マイケル・ブラウンがファーガソンで殺害された時、ムーヴメントは解散することを拒んだ。警察が軍事技術と戦術を用いてプロテスターたちを鎮圧しようとしても、彼らは拘束されることを拒否しました。警察の催涙ガスによる攻撃に慣れているパレスチナの活動家たちは、ファーガソンのプロテスターたちに向けてアドバイスや励ましの言葉をツイートしました。一部の人々の激しい怒りが、彼らに逆効果かもしれない手段の反応を招いてしまった時も、このムーヴメントは降伏せず、解散を拒否しました。人々がプロテスターたちの信用を失墜させようと試

▼4　2015年6月17日に起こった、白人青年によるエマニュエル・アフリカン・メソジスト・エピスコパル教会での黒人信徒を狙ったショットガン乱射事件。9名が死亡し、1名が負傷した。
▼5　チャールストン教会銃撃事件の犯行グループの白人青年が南部連合国旗と写っていた写真が出回り、この旗が人種差別主義者が好んで掲げるシンボルであることを受け、南部の複数の州の公共スペースから撤去される流れが起こった。

みた際も、このムーヴメントは解散を拒否しました。様々な公的立場の人々が「リーダーはどこにいるのか?」と尋ねた時、このムーヴメントは「我々はリーダー不在のムーヴメントではなく、リーダーだらけのムーヴメントなのだ」と答えたのです。

あなた方のムーヴメントは、昔ながらの目立った黒人男性のカリスマ的指導者を今は必要としないことを示しました。私たちは間違いなくマーティンとマルコムを愛し、彼らの歴史的貢献に深く感謝していますが、過去を複製する必要はありません。さらに、今は21世紀ですから、リーダーシップが男性の特権ではないことを学んでいるべきです。黒人のラディカルな運動には、常に女性たちがその組織化に貢献してきたのですから、女性も指導的立場にあって当然です。黒人運動の内部でも、我々は20世紀初頭、特に1960年代から1970年代にかけて、ジェンダーをめぐる闘いに取り組んできました。やっと私たちは、進歩主義的な黒人女性を尊重し、進歩主義的な黒人クィア女性を尊重するムーヴメントを目の当たりにしています。モンゴメリー・バス・ボイコット事件の時のように、黒人解放運動時代のように、黒人女性が立ち上がる時、地球を揺るがすような変化が起こるのです。

しかし、活動家で歴史学者のバーバラ・ランズビーが強調するように、我々はリーダー不在を過度に美化してはいけません。彼女は最近、次のような指摘をしました。

リーダー不在の運動という概念を美化する者たちは、エラ・ベイカー[6]の「強い人々は強いリーダーを必要としない」という言葉を、しばしば誤解を招くような論じ方で引き合いに出す。ベイカーは、人種間の平等を求める闘争の最前線で活動してきた50年間のキャリアで度々このメッセージを伝えてきたが、彼女の意味していたことには具体的な文脈があった。彼女は人々に、尊敬と引き換えに政治的救済を約束する救世主のようなカリスマ的指導者という観念から、撤収することを呼びかけていたのだ。ベイカーは、ムーヴメントが集団的分析、本格的な戦略、組織化、動員、合意形成がなくても自然に生まれてくるものだと言っているのではない。

「ブラック・ライヴズ・マター(Black Lives Matter)」、「ドリーム・ディフェンダーズ(Dream Defenders)」、「ブラック・ユース・プロジェクト100(Black Youth Project 100)」、「ジャスティス・リーグNYC(Justice League NYC)」、「ウィ・チャージ・ジェノサイド(We Charge Genocide)」といった新たな組織は、21世紀型の持続可能でラディカルな黒人運動を発展させ

▼6 公民権運動で最も重要な役割を果したとされる女性活動家で、当時から人種差別と闘いながら運動内におけるセクシズム、カリスマ的(男性)リーダーに過度に依存する運動のあり方を批判していた。

るために、新たなリーダーシップのモデルを開発し、ブラック・フェミニズムの洞察力がどれほど重要であるかを認識している新世代の組織化の実例です。これらの組織は、秘密裏に進行している「人種化」と、普遍的とみなされるカテゴリーの「ジェンダー化」を理解しています。例えば、「黒人の命も大切だ《ブラック・ライヴズ・マター》」（以下BLM）[7]というスローガンに対抗して、より包括的に受け入れられやすい「すべての命が大切だ《オール・ライヴズ・マター》」というスローガンを掲げている人々は、人種差別的暴力の終焉を極めて具体的に主張することが重要である理由を、巧妙に説き伏せるための戦略を取っていることを認識しています。ヒラリー・クリントンが数日前、ファーガソンから5マイル〔約8キロメートル〕ほどの距離にあるフロリサントの教会で講演した際、「オール・ライヴズ・マター」を主張したと聞きました。そのような普遍的な宣言が、レイシズムを助長してきたことを彼女は自覚していないのでしょうか？ 多くの場合、普遍的とみなされるカテゴリーは秘密裏に「人種化」されています。レイシズムに批判的に取り組むためには、普遍的とみなされるカテゴリーの暴虐性を理解しなければなりません。我々の歴史の大部分において、「人間」というカテゴリーの中に黒人や有色人種は包含されてきませんでした。その抽象性には、白という色がつけられ、男性としてジェンダー化されてきました。ヒラリー・クリントンは『女は白人、黒人は男、でも中には勇敢な者もいる』[8]〔未邦訳〕という本を読んだことがあるのか気になります。

本当にすべての命が大切にされているなら、「黒人の命も大切だ」と強調して宣言する必要はないはずなのです。あるいは、ＢＬＭのウェブサイトにあるように、黒人女性の命も大切、黒人少女の命も大切、黒人ゲイの命も大切、黒人バイの命も大切、黒人少年の命も大切、黒人クィアの命も大切、黒人男性の命も大切、黒人レズビアンの命も大切、黒人トランスの命も大切、黒人移民の命も大切、黒人受刑者の命も大切、黒人障害者の命も大切というように。そう、黒人の命も大切であり、ラテン系／アジア系アメリカ人／ネイティヴ・アメリカン／ムスリム／貧困者、労働者階級の白人の命も大切なのです。「すべての命が大切だ」と誰もが倫理的かつ躊躇なく主張できるようになるまで、我々が明確に列挙しなければならない実例はまだ多数あるのです。

こうした状況を踏まえ、昨日サウスカロライナ州チャールストンでオバマ氏がクレメンタ・ピンクニー牧師[▼9]に捧げた見事な弔辞の中の、一つの問題点について触れたいと思います。「レイシズムとの闘いに成功したいのであれば、人種についての会話を増やす必要があると

▼7　このスローガンの日本語訳は統一されていない。本書の文脈では「黒人の命も大切だ」としておく。
▼8　Akasha Gloria Hull, Patricia Bell-Scott, Barbara Smith『All the Women Are White, All the Blacks Are Men, But Some of Us Are Brave』(1982).
▼9　チャールストン教会銃撃事件の犠牲者の一人で、サウスカロライナ州上院議員（民主党）だった。

は言えない」と断言した彼の発言に、私は異議を唱えます。「それ以上に、行動が必要である」と言い換えるべきです。明らかに、私たちは会話以上のものを必要としていますが、人種やレイシズムについての会話の仕方を学ぶ必要があるのも事実です。人種差別について有意義に語る方法を身につけなければ、私たちの行動も誤解を招く方向に進んでしまいます。

人種とレイシズムについての会話を一般社会に呼びかけることは、我々が洞察力を伴った会話ができるように、適切な語彙の発達を呼びかけることでもあります。歴史的に廃れた語彙を使用することは、我々のレイシズムに対する意識を浅いままにし、例えば、法律の改正が社会に効果的な変化を自然発生的にもたらすと、安易に思い込ませてしまうことになります。その例を挙げると、19世紀に奴隷制は合法的に廃止されたから過去に葬られたと見なしている人は、奴隷制の文化的・構造的な要素がどれほどまだ残存しているか気づくことができません。産獄複合体には、奴隷制の持続性を示す例が非常に多く含まれています。世の中には、我々が公民権闘争において決定的な勝利を収めたと信じている人たちもいます。でも、多くの黒人は今もなお選挙権を奪われている状態で、特に服役者や元重罪犯はその権利を持っていません。さらに、それまで持てなかったこの権利を獲得した人たちでさえも、自ずと雇用、教育、住宅、医療を獲得できたわけではありませんでした。

20世紀中期の公民権運動は、人種的平等を求める闘争にとって不可欠な瞬間でしたが、公民権が物語のすべてではなかったこと、また今もすべてではないことを認識するための語彙を発展させることが重要です。このようなレイシズムの分析は、昨日の最高裁の婚姻の平等に関する判決を、あたかもLGBTQコミュニティの正義の実現のための、最後の障壁が克服されたかのように祝っている人たちにも有用でしょう。確かに判決は歴史的なものでしたが、ホモフォビア的な国家的暴力、経済的権利、医療などに対する闘いはまだ続いているのです。最も重要なのは、レイシズム、ホモフォビア、トランスフォビアとの闘いのインターセクショナリティが矮小化された場合、我々は決して正義のための闘いに大きな勝利を収めることはできないということです。これが、レイシズムについての我々の洞察を表現するために、より豊かで批判的な語彙を発展させることが不可欠であるもう一つの理由です。レイシズムの複雑さを理解する能力の欠如は、例えば「ブラック・オン・ブラック犯罪[10]」と呼ばれるような、レイシズムと無関係に独立した現象が存在するという思い込みにつながりかねません。したがって、レイシズムについての新しい考え方を発展させるには、経済的、社会的、イデオロギー的な構造だけでなく、集団的な心理的構造も理解する必要があるのです。人種差別的暴力の顕著な例の一つは、未来を想像する方法を学んでいない、つまり将来

▼10 黒人が黒人に対して犯す犯罪。

を思い描くことを可能にする教育と想像力を現在持たない黒人の世代の育成によってもたらされています。そしてこの暴力は、異なる形の暴力を引き起こします——子供に対する暴力、パートナーに対する暴力、友人に対する暴力……我々は家庭やコミュニティにおいて、しばしば無意識のうちに、この暴力が個人に特有なものであると思い込むことによって、レイシズムのより大きな作用を持続させてしまっているのです。

レイシズムについてのより複雑な分析、特に黒人・有色人種女性フェミニズムの文脈で展開されてきた分析を普及させることが、人種差別的暴力がわが国の経済的・イデオロギー的構造の中にいかに深く埋め込まれているかを理解する助けになるとすれば、レイシズムのこうした伝え方は、我々の闘争のグローバルな拡大を理解するのにも役立つでしょう。パレスチナ系アメリカ人のファーガソン抗議行動への参加は、ヨルダン川西岸地区とガザのパレスチナ人活動家たちのファーガソンへの連帯表明によって補完されました。ファーガソンの闘いは、局地的な問題もグローバルな波及効果を持つことを我々に教えてくれました。ファーガソン警察の軍事化と、それに対するパレスチナの活動家たちによるアドバイスのツイートは、我々とBDS運動およびパレスチナの正義を求めるより大きな闘争との、政治的な共通項を認知するきっかけとなりました。さらに我々は、2001年9月11日の余波の中で出現した新たな形のレイシズムに、イスラモフォビアが中心的に果たした役割についても理解するようになりました。

人種差別的暴力についての深い理解は、見せかけの解決策に対する理論武装を可能にします。より良い警察とより良い刑務所が必要なだけなのだと言われても、我々が真に必要としているのは何かと反論することができます。私たちに必要なのは安全《セキュリティ》について想像し直すこと、その中でこれまで当たり前だと思ってきた警察による治安維持《ポリーシング》と投獄の廃絶を考えることです。我々が主張するのは、警察の非軍事化、警察の武装解除、これまでのような警察制度の廃絶、そして刑罰の支配的手段としての投獄の廃絶です。アメリカにおける暴力についての真実を、私たちはまだ伝え始めたばかりなのです。

第8章　フェミニズムとアボリション――21世紀のための理論と実践

シカゴ大学ジェンダー・セクシュアリティ研究センターと人種・政治・文化研究センター共催「年次公開講座」でのスピーチ（2013年5月4日）

私がシカゴで丸4日間もゆっくりと滞在することができたのは、とても久しぶりのことです。昨日と今日が私の知っているシカゴらしい日だったとすると、火曜日と水曜日は、今までで最も美しいシカゴが経験できた日でした（笑）！「シカゴに住んでもいい！」とさえ思い始めました。昨日、風と寒さが戻ってくるまでは……。それでも、私はシカゴが好きです。そして、ここはどの季節に訪れても素敵な場所です。この素晴らしい街には、闘争の歴史があります。ヘイマーケット殉教者の街であり[1]、ラディカルな労働組合の街であり、フレッド・ハンプトンとマーク・クラークの警察による暗殺に抵抗した街でもあります[2]。プエルトリコ系反植民地主義アクティヴィズムの街でもあります。移民人権活動家たちの街でもあります。そしてもちろん、シカゴ教職員組合[3]の街でもあります。

さて、そのシカゴは数年前、アサータ・シャクールを支援するために全国規模の運動を復活させた街で、リサ・ブロック[4]やデリック・クーパー、トレイシー・マシューズ[5]、ベス・E・リッチー[6]、キャシー・コーエン[7]らがアサータ・シャクールの権利と命を守るための新たなキャンペーンを呼びかけたことが思い出されます。一昨日、アサータがニュージャージー州警察に銃撃され、州警察官ワーナー・フォースター殺害の容疑で誤った告発をされてから40年後の2013年5月2日、彼女は女性として史上初めてFBIの最重要指名手配テロリストのリストに加えられました。

なぜ、特にボストン・マラソン爆弾テロ事件という悲劇の直後に、テロリズムの顔として女性を登場させる必要があったのかを、私たちは問うべきです。なぜテロリズムの顔として黒人を登場させる必要があったのでしょうか。特にボストン爆破事件についての最初のニュースでは、犯人は黒人の男性であるか、黒人でないとしても肌の色が濃いフードを被った男性で、トレイヴォン・マーティンの亡霊ではないかと言われました[8]。その直後に、なぜそうする必要があったのでしょうか。

アサータはFBIが描写してきたような脅威、ボストン・マラソン爆弾テロのような行為を起こそうと待ち構えている人物ではありません。アサータは確実にテロリストではありません。彼女が米国政府に対して暴力行為を犯すような立場にないのであれば、なぜFBIが「最重要指名手配テロリスト」で唯一の女性であることを大々的に発表することを決定したのか、その事実にはどのような意図が隠されているのかを問うべきです。

私が特にアサータに共感するのは、私も43年前にFBIの10大最重要指名手配犯になったことがあるからで、会場の中には私の裁判についての新しいドキュメンタリー映画[9]をご覧になった方もいらっしゃるかもしれません。その中でリチャード・ニクソン大統領は、私を逮

▼1　1886年5月1日（後に国際的に定められることになった「メーデー」の起源）に、シカゴで労働者によるストライキとデモをきっかけに起こった暴動で警察と労働者が衝突し、爆弾の犠牲となって多数の死者が出た。その後デモの主催者による爆弾テロであるとして起訴され、処刑されたり自殺に追い込まれたりした複数のアナキストや社会主義者、および爆発の犠牲者を指す。

▼2　いずれも警察によってシカゴで殺害されたブラックパンサー党（以下BPP）の指導者。

▼3　全米で最も大きな公立教育機関の教員の労働組合で、2012年にシカゴ市に対し、7日間にわたり35万人の生徒に影響が及んだストを行い全国的な話題となった。

▼4　ミシガン州カラマズー大学社会正義リーダーシップのためのアーカスセンター所長。

▼5　シカゴ大学人種・政治・文化研究センター事務局長。

▼6　人種・公共政策研究所（Institute for Research on Race and Public Policy）所長兼イリノイ大学教授。

▼7　フェミニストの政治学者兼アクティヴィスト。シカゴ大学政治学科教授。

▼8　事件後に、保守系ラジオ・パーソナリティのラッシュ・リンボーが、テロの容疑者とトレイヴォン・マーティンのメディアによる扱い方に類似点があると発言し、問題となった。

▼9　『Free Angela and All Political Prisoners』(2012).

捕したＦＢＩを公に祝福し、その過程で私のことをテロリストと認定しました。ですから私は、このようなイデオロギー的なレッテルを貼られることが、どれほど危険な結果を招くことになり得るかを知っています。

アサータの最初の逮捕から40年が経過した現在に、このようなことが起きていることを、我々は熟考のきっかけとすべきです。第一に、我々には20世紀から残された仕事がまだたくさん残っているのだということを思い出させてくれます。とりわけ、私たちのように平和の提唱者を自負する者、人種的、ジェンダー、性的な公正と、資本主義の弊害によって破壊されない世界を目指す者には。

ラディカルで革命的なアクティヴィズムの時代として広く記憶されている１９６０年代から、もう40年が経過しています。しかし、歴史的な開きがあるからといって、これまでにそして現在もレイシズム、帝国主義的戦争、セクシズム、ホモフォビア、資本主義的搾取のない世界を築くために命を捧げる人々を擁護し、解放しなければならないという責任を私たちが負わないわけではありません。

ここで指摘しておきたいのは、個人の記憶は、制度の記憶、特に抑圧的な制度が保持する記憶ほど、長く残らないということです。ＦＢＩは今でもＪ・エドガー・フーヴァー[10]の亡霊に取り憑かれています。そして、ＣＩＡと「移民・関税執行局（Immigration and Customs Enforcement: ICE)」は、組織化された反レイシズム、反戦、反資本主義の大規模な闘争の、激しく鮮明な記憶を持つ機関です。

そして今もなお、レナード・ペルティエ[11]はまだ鉄格子の中にいます。モンド・ウィ・ランガとエド・ポインデクスター[12]はもう40年刑務所に入ったままです。アサータの同志であるスンディアータ・アコーリ[13]も服役中。ハーマン・ベル[14]、ヴェロンザ・バワーズ[15]、ロメイン・フィッツジェラルド[16]も獄中におり、私の共同被告人だったルシェル・マギー[17]は約50年、半世紀という時間を刑務所で過ごしています。アンゴラ・スリーのうちの2人、ハーマン・ウォレ

▼10　初代FBI長官。国家安全保障の名の下に「破壊的な」政治思想・政治活動を制圧するための悪名高き極秘プログラム「COINTELPRO」を導入した人物。COINTELPRO はその後の調査で違法性が証明された。

▼11　ネイティヴ・アメリカンの活動家で「アメリカインディアン運動（American Indian Movement: AIM)」のメンバー。1976年以来政治犯として収監され続けている。

▼12　モンド・ウィ・ランガ（デイヴィッド・ライス）とエド・ポインデクスターはいずれもBPP党員で、1970年8月17日に起こった爆弾による警察官殺害の犯人として翌年の裁判で有罪となり、以来収監され続けている。ランガは2016年に獄中で亡くなっている。

▼13　BPPおよび黒人解放軍のメンバー。アサータが捕らえられたニュージャージー州の高速道路の銃撃事件で警察官殺害犯として1974年に終身刑を受け、以来収監され続けている。

▼14　BPPおよび黒人解放軍のメンバー。1973年にニューヨーク市の警察官殺害の容疑で捕らえられ、45年間を獄中で過ごすが、2018年に仮釈放が認められた。

▼15　元BPP党員で公園管理者殺害の容疑で有罪判決を受け、終身刑となった。

スとアルバート・ウッドフォックス[18]は今も〔当時〕独房の中にいます。そして言うまでもなく、ムミア・アブ＝ジャマール[19]は、〔人々の努力によって〕死刑囚監房からは除外されましたが、未だ投獄されたままです。

米国政府はアサータを――皮肉なことに――名指しでテロリストと断定し、彼女を捕らえてアメリカに連れ戻す者は誰でも歓迎するとしています。そして世の中には、ブラックウォーター社やその他の民間警備会社の訓練を受けた傭兵がたくさんいますから、おそらく200万ドルという報奨金を狙う者が出てくるでしょう。米国政府はまた、キューバへのテロ攻撃を防ごうとした5名のキューバ人を、自国内の刑務所に収監しています。彼らはキューバン・ファイブと呼ばれていた人たちを、逆にテロリズムの罪で起訴したのです。彼らはキューバン・ファイヴと呼ばれています――キューバン・ファイヴを解放せよ！

アサータへのこの攻撃は、まさにかつて彼女が不当に起訴された際のテロリズムの論理に立脚しています。新たな世代の活動家たちを恐怖に落とし入れ後退させる以外に、何を達成するというのでしょうか？　私には、FBIがアサータや私の孫に当たる世代の人々を説き伏せようとしているように見えます。警察の暴力を終わらせるための闘争や、産獄複合体を解体するための闘争、女性に対する暴力を終わらせるための闘争、パレスチナの占領を終わらせるための闘争、国内外の移民の人権を守るための闘争から、目を背けさせるためにです。

シカゴにいる皆さんは、特にアサータが「警官殺し」と描写されることに懐疑的になるべきだと思います。彼女は背中を撃たれた際に両手を宙に挙げていたため、銃を拾うのに使わなければならなかったはずの腕が一時的に麻痺した状態でした。「人種差別と政治的抑圧に反対するシカゴ同盟（Chicago Alliance Against Racist and Political Repression）」によれば、過去4年間で63名がシカゴ警察の手で殺害されているそうですから、皆さんは懐疑心を持つべきです。さらに253名が銃撃を受けており、そのうち172名が黒人で27名がラテン系です。皆さんは、「極めて」懐疑的になるべきです。なぜなら、ますます多くの若者が消耗品の

▼16　BPP南カリフォルニア支部の元党員で、同州のハイウェイ・パトロール警官殺害の罪と、ショッピング・センター警備員の強盗殺害の罪で二重の終身刑を受ける。現存する元BPP党員としては最長の50年以上にわたり、現在も服役中。

▼17　アンジェラ・デイヴィスが起訴された裁判所襲撃事件に直接関与していたため共同被告人だったが、デイヴィスは無罪となり、彼は誘拐の罪で終身刑となった。

▼18　1972年からアメリカ史上最長の43年間を独房で過ごし、2016年2月にアンゴラ・スリーの中でも最後に釈放された人物。その体験を綴った著書『Solitary: Unbroken by Four Decades in Solitary Confinement. My Story of Transformation and Hope』を2019年に発表している。長年人権団体アムネスティ・インターナショナルや国連特別報告者がこれを拷問であるとしてアメリカ政府に釈放を求めていた。

▼19　本人は一貫して無実を訴えていながら、1982年に警察官殺害の罪で死刑囚となった人物。彼も元BPP党員。その後2001年に死刑判決は棄却されたが、未だ服役中。

ように扱われ、投獄によってしか管理できない余剰人口の一部となり、本来これらの問題解決のための場所であるはずの学校がどんどん閉鎖されているからです。現代の最も優れた指導者の一人であるカレン・ルイス[20]によれば、この街の61に上る学校が閉鎖の危機に瀕しています。

このような状況は、私が21世紀に必須の理論と実践だと考えているフェミニズムとアボリションについての議論を始めるのにふさわしいでしょう。アサータ・シャクールは、フェミニズム闘争と理論の中で、黒人女性が抗議と革命的闘争へ参加することが、どのように女性に関するイデオロギー的な決めつけに対して影響を及ぼし得るかを体現しています。

実際、20世紀後半には「女性」というカテゴリーをどう定義すべきかという論争が、盛んに起こりました。このカテゴリーに誰が含まれ、また誰が除外されるのかをめぐって、多くの闘争がありました。そしてこれらの闘争は、なぜ有色人種の女性や貧困層および労働者階級の白人女性が、新興のフェミニズム運動に自らを重ねることに抵抗を示したのかを理解する上で鍵になると私は思います。我々の多くは、当時のフェミニスト運動をあまりにも白人中心的で、特に中産階級的、ブルジョワ的であると見なしていました。

女性の権利のための闘争は、イデオロギー的に白人中産階級女性の権利のための闘争として定義されていた側面があったため、「女性」というカテゴリーに括られた雑然とした領域から労働者階級の女性や貧しい女性を排除し、黒人女性やラテン系女性、その他有色人種の女性を排除することになりました。このようなカテゴリーをめぐる多くの論争は、我々が「ラディカルな有色人種女性フェミニズム理論と実践」と呼ぶようになったものを構築するのに役立ちました。

このように「女性」というカテゴリーの普遍性に関する疑問が提起された時、「人間」というカテゴリーについても同様の懸念が、特に人権にまつわる言説に潜在する個人主義に関連して議論されました。このカテゴリーはどのように再考され得るのか？　そこにアフリカ人、先住民、その他の非ヨーロッパ人を含めるだけでなく、また個人のみならず集団やコミュニティにも適用されるようにするためにはどうすべきか。そしてご存じの通り、1985年にケニアのナイロビで開催された素晴らしいカンファレンスの直後から、「女性の権利は人間の権利である（Women's Rights Are Human Rights）」というスローガンが使われるようになったのです。

この会議に参加していたという方が、会場の中にも何人かいらっしゃるのではないでしょうか？　何人かの手が挙がっているのが見えます。実に素晴らしい会議でした。

▼20　シカゴ教職員組合代表を務める教育者。

この会議には初めて、アメリカの有色人種女性の非常に大きな代表団が参加しました。そして、アメリカの有色人種女性が国際的な場で活躍するようになったのは、これが初のことだったと思います。問題は、当時我々の多くが「女性」というカテゴリーを拡大し、黒人女性、ラテン系女性、ネイティヴ・アメリカン女性などを組み入れる必要があると考えていたことです。そうすることによって、カテゴリーの排他性という問題に効果的に対処できると考えていました。ただ、旧態依然とした「女性」というカテゴリーに、単により多くの女性を同化させるのではなく、カテゴリーそのものを書き換える必要があったということに我々はまだ気づいていなかったのです。

その数年前の1979年のことですが、フェミニストのレコード会社であるオリヴィア・レコーズで働いていたサンディ・ストーンという白人女性がいました。オリヴィア・レコーズのことを覚えている方もいらっしゃるでしょう。この女性は、真の女性ではないのに女性の空間に男性的なエネルギーを持ち込んだとして、自称レズビアン・フェミニストたちからあからさまな攻撃を受けていました。実はサンディ・ストーンは、後に初期のトランスジェンダー研究発展のきっかけとなる文献を複数書くこととなったトランスジェンダー女性でした。この女性は、出生時に「男性」と性別判定されていたため、女性とみなされていなかった。しかしこのことが、彼女が後に全く異なるジェンダー・アイデンティティを主張することを押し留まらせることはありませんでした。

現在では、学者やアクティヴィストたちが刑務所の廃止やジェンダー不整合《ノンコンフォーミティ》の問題に取り組み、アクティヴィズムに関する最も興味深い理論、そして最も興味深いアイディアやアプローチを提示しています。

でもその話を進める前に、今朝出席する機会があった政治学部のバーナード・ハーコート教授主催の、亡命者と刑務所をテーマにした非常に刺激的な討論会のことに触れさせてください。一同で拍手を送りましょう。そこで私は、マイケル・レンビス氏とリアット・ベン＝モーシェ氏お2人の、非常に素晴らしい発表を聞きました。皆さんにも聞いて頂きたい内容でした。往々にして、精神科医療機関での監禁や知的・発達障害者の収監といった問題は、優先度が低いと思われてきました。しかしながら、実際はその正反対です。発表者のお2人も強調していたように、救護施設や精神科医療施設の脱施設化を注意深く観察することによって、「脱収監」と刑務所廃止の可能性、産獄複合体廃絶の可能性について、非常に多くを学ぶことができます。

このことを踏まえて私がお話ししたいのは、残念ながらあまりにも多くの場合、より大きな刑務所廃止闘争から縁遠いと考えられてしまっている、もう一つの問題と闘争についてです。

女性というカテゴリーをめぐる歴史的な論争の話題に戻るため、まず時間を現在に早送りしましょう。私が住むサンフランシスコのベイエリアにある、「トランスジェンダー、ジェンダー・ヴァリアント＆インターセックス・ジャスティス・プロジェクト（Transgender, Gender-Variant and Intersex Justice Project: TGIJP）」という組織を見てみましょう。ＴＧＩＪＰは、有色人種の女性と有色人種のトランス女性が主導しています。事務局長はミス・メジャーという名の女性です。彼女には、シカゴで拍手喝采が起こったことを伝えますね。これが特別な意味を持つのは、彼女がこの場所からそう遠くない、シカゴのサウスサイド育ちだからです。彼女は自身のことを、黒人の元受刑者で、男性から女性へのトランスジェンダーで、シカゴのサウスサイド出身のベテラン・アクティヴィストであると言っています。彼女は、１９６９年の「ストーンウォールの反乱」[21]にも参加した人です。しかし、彼女は「アッティカ刑務所暴動」[22]が起きるまで、本格的な政治活動はしていなかったと言います。先日彼女と話していたところ、彼女を政治化したのはアッティカ事件の被告人の一人で、亡くなるまで私の近しい友人でもあったビッグ・ブラックだったということを知りました。ビッグ・ブラックと呼ばれていたフランク・スミスは、アッティカ暴動のリーダーの一人で、最終的にはアッティカ事件に関連してニューヨーク州を相手に訴訟を起こし、勝訴した人です。ミス・メジャーは刑務所内で彼と出会っています。彼は彼女のジェンダーを全面的に受け入れてくれただけでなく、レイシズム、帝国主義、資本主義の相関関係にまつわる多くの問題について指導してくれたと言っていました。

さて、TGIJPは、主にトランス女性や有色人種のトランス女性によって構成され、彼女たちを支持し、擁護する草の根組織です。これらの女性たちは、「女性」というカテゴリーの中に含まれるために闘わなければならない女性たちで、それは生まれつき女性という性別を与えられていたにもかかわらず、闘わなければいけなかった黒人や有色人種の女性たちの初期の闘争とそれほど違いません。さらに私から見たところ、彼女たちは我々もよく理解し、見習うことができる深いフェミニズム的アプローチを考案しています。

ミス・メジャー（Miss Major）は、トランス女性としてまだ完全に解放されていないことから、ミズ・メジャー（Ms. Major）ではなく、ミス・メジャーと呼ばれることを好むと言いま

▼21　警察による差別的で執拗な取り締まりを受けていたニューヨークのゲイバー「ストーンウォール・イン」で1969年6月に強制捜査が行われた際に、居合わせた当事者たちと周辺のLGBTQコミュニティが結束して立ち向かったことをきっかけに暴動に発展。この事件はLGBTQの市民権運動の転機となり、ゲイ・プライド運動の誕生につながった。

▼22　ニューヨーク州の厳重警備体制が敷かれているアッティカ刑務所で、非人道的な待遇の改善と人権を求め、2000人以上の囚人たちの約半数が1971年に起こした数日間にわたる暴動。職員を人質に取り、当局との交渉が行われたが州警察が武力で鎮圧し多数の死傷者が出た。

す。TGIJPの活動は、人種、階級、セクシュアリティ、ジェンダーの交差上《インターセクション》で行われており、さらに法執行機関による嫌がらせを最も受けやすく、最も逮捕・投獄されやすい彼らのコミュニティ・メンバーの、個々の苦境に対処することから産獄複合体というより大きな問題へと取り組みの対象を広げている点で完全にフェミニスト的です。有色人種のトランス女性は、主に男性刑務所に収容されることになります——特に、性転換手術を受けていない場合はそうですし、彼女たちの多くは手術を希望しません。また、手術を受けていても、男性刑務所に収容されることもあります。彼女たちは投獄された後、看守から他の誰よりも暴力的な扱いを受けることが多い上に、施設からは男性暴力の対象としてマークされます。このような実例があまりに多いことから、警察官は、トランス女性が通常送り込まれる男性刑務所内での彼女たちの性的な運命を気軽な冗談のネタにします。男性刑務所は暴力的な場所として描写されている。このように、我々はトランス女性の苦境を特に注意深く見ることで、この暴力が往々にして施設自体によって奨励されていることが分かるのです。

多くの方は、ミネアポリスで起きたシーシー・マクドナルドの事件をご存じでしょう。彼女は、人種差別的、同性愛嫌悪《ホモフォビア》、トランスフォビアな中傷を同時に浴びせてきたグループと遭遇した後、殺人罪で起訴されました。彼女は現在、ミネソタ州の男子刑務所で3年半の刑期を務めています。こうした暴力に加え、トランス女性は正当な処方箋があっても、ほとんどの場合ホルモン治療を拒否されます。

私がお伝えしたいのは、トランスジェンダー受刑者、特にトランスジェンダー女性の特殊な闘いを調べることで、刑務所制度の影響が及ぶ範囲、産獄複合体の性質、廃絶すべき範囲について、多くを学ぶことができるということです。

おそらく最も重要なこと、そしてフェミニスト・アボリション主義の理論と実践の発展において最も核となるのは、イデオロギー的に「普通」として構成されているものに対して、どのように考え、行動し、闘うかを学ばなければならないということです。刑務所は「普通」のものとして制定されています。鉄格子の向こう側のことまで考えるよう人々を説得し、刑務所のない世界を想像することを可能にし、刑罰の支配的な手段としての収監を廃止するために闘うには、多大な努力が必要です。

このような状況を踏まえることで、我々は自らに問いかけることができます。なぜトランス女性——特に認められない黒人のトランス女性——はそれほどまで規範からかけ離れているとみなされているのか？　彼女たちは、社会のほぼすべての構成員から規範外であるとみなされています。

言うまでもなく、私たちは過去数十年の間にジェンダーについて多くのことを学んできました。フェミニスト研究をしている人なら誰でもジュディス・バトラーの『ジェンダー・トラブル』〔青土社〕を読んだことがあると思います。でも、ベス・リッチーの最新の著書、『逮捕された正義——黒人女性、暴力、そしてアメリカの刑務所国家』[▼23]〔未邦訳〕という素晴らしい本も読むべきです。特にその中で触れられている「ニュージャージー・フォー」、グリニッジ・ヴィレッジを楽しく歩いていただけの4名のニュージャージーの若い黒人レズビアンが、男性の暴力から身を守ろうとしたために刑務所に送られることになったという事件に注目してください。この暴力は、メディアが彼女たちを「レズビアン〔獲物を追いかける〕オオカミの群れ」と表現したことで、さらに強化されました。このように人種・ジェンダー・性的不整合は、人種差別的な獣化につながることが分かります。これは、私の教え子の一人であるエリック・スタンレーが彼の論文で指摘しているように、人間のみならず動物に対する攻撃でもあります。

TGIJPは、アボリショニストの組織です。TGIJPは、弁証法的な情報の提供とアボリショニズムの推進を呼びかけています。つまりTGIJPは、我々に柔軟であることを促し、会場にいらっしゃる研究者の方たちに向けて言います——研究や——会場にいらっしゃるアクティヴィストの方たちに向けて言います——組織化——の対象に執着しすぎることを警告するような、フェミニズムのあり方を推進しています。

TGIJPは、これらの対象が我々の活動の仕方によって、全く異なるものになり得ることを示しています。既存のカテゴリーに同化しようとするプロセスは、様々な意味でラディカルかつ革命的な結果を導く努力に逆行していることを示しています。また、私たちはトランス女性を不変のカテゴリーに同化させようとしてはならないだけでなく、誰が女性で誰がそうでないかという規範的な考えを単に反映しただけのカテゴリーそのものを、変えなければならないことを示しています。

この延長線上に、もう一つの教訓があります。ジェンダーという概念にも執着しすぎないことです。なぜなら、実際に詳しく調べれば調べるほど、それが様々な社会的・政治的・文化的・イデオロギー的構造に埋め込まれていることが明らかになってくるからです。それは単一のものではないのです。定義も一つではありませんし、今やもう確実にジェンダーを、「男性」が片方の柱で「女性」をもう片方の柱とする二元構造《バイナリー》として、適切に説明することはできません。

ですから、トランス女性、トランス男性、インターセックス、その他多くのジェンダー不整合をジェンダーという概念の中に持ち込むことは、ジェンダーという概念の規範的前提をラディカルに、根底から覆すことになるのです。

▼23　Beth E. Richie『Arrested Justice: Black Women, Violence and America's Prison Nation』(2012).

昨日こちらでも講演した、ディーン・スペードの素晴らしい言葉を紹介します。

私の理解では、フェミニスト、クィア、トランス活動家たちの中心的な企ては、特定の身体の部位によってジェンダー・アイデンティティとジェンダー化された社会的特性と役割が決定される文化的イデオロギーや社会的慣行、法的規範を解体することでした。我々は、子宮、卵巣、またはペニスや睾丸の存在が、人々の知性、適切な親の役割、適切な身体的容姿、適切なジェンダー・アイデンティティ、適切な労働的役割、適切な性的パートナーと性的行為および決断を下す能力などを決定するために理解されるべきであるとする発想と闘ってきました。我々は、表向きには健康を肯定するという名目で、伝統的なジェンダー役割、およびこれらの規範に従わない身体を病的なものと見なしてきた、医学的・科学的な主張に反対してきました。我々は、身体の部位が、我々が何者であるか(そして、誰がどの部位を持つかによって、それ「以下」またはそれ「以上」か)を規定するという神話を払拭するために、活動を続けます。

トランスの学者・活動家は、刑務所廃止に関して最も興味深い取り組みをしています。ですので、ここでトランス・アボリショニストの政治に関わる学者・活動家による、最近の三冊の著作をご紹介したいと思います。一冊目は、エリック・スタンリーとナット・スミス編集の『捕らわれのジェンダー――トランスの身体性と産獄複合体』[24]〔未邦訳〕という素晴らしいアンソロジーです。アンドレア・リッチー、ケイ・ウィットロック、ジョーイ・モーグルも最近、『クィア（不）公正――アメリカにおけるLGBTの人々の犯罪化』[25]〔未邦訳〕というアンソロジーを出版しています。そして、先ほど引用したディーン・スペードは驚くほど多作で、どうやってこれだけの本や記事を書きながら、常に世界各地でデモの最前線にも立っているのか想像もつかないほどですが、先日『普通の生活――行政的暴力、クリティカル・トランス政治、法の限界』[26]〔未邦訳〕という本を出版しました。

これら三つの文献は、すべてフェミニスト的です。それはフェミニスト的対象を扱っているからではなく――レイシズム、産獄複合体、犯罪化、監禁、暴力、法律はすべてフェミニズムが分析し、批判し、闘争を通じて抵抗すべき対象ですが――私がこれらの文献をフェミニスト的であると捉えるのは、主にその方法論からです。そしてフェミニストの方法論は、

▼24　Eric A. Stanley and Nat Smith『Captive Genders: Trans Embodiment and the Prison Industrial Complex』(2015).
▼25　Andrea J. Ritchie, Kay Whitlock, and Joey L. Mogul『Queer (In)Justice: The Criminalization of LGBT People in the United States』(2011).
▼26　Dean Spade『Normal Life: Administrative Violence, Critical Trans Politics, and the Limits of Law』(2015).

我々研究者にとっても、学者にとっても、そして活動家や組織者にとっても、大きな手助けとなってくれるものです。カテゴリー内の比較的小さくて取るに足らない側面のように見えるもの——あるいはカテゴリー内に入り込み、内部からそれを破壊しようとしているもの——を見つけ出すというこのプロセスは、単にカテゴリーを規範的に観察するよりも、はるかに多くのことを明らかにしてくれます。それに、学者というのは予期せぬことを恐れるよう訓練されてしまっていますが、活動家もまた、常に自分たちの軌跡や目標を明確に把握しておきたがります。どちらの場合も、我々はコントロールを求めるのです。コントロールを求めているので、学術的またはアクティヴィズムのプロジェクトは、すでに知っていることを再確認するために策定されることが多い。でも、それでは面白くない。退屈です。では、どうすれば驚きを許容し、またその驚きを生産的なものにすることができるでしょうか？

ここで驚きという要素をどう生かすかという話に繋がる余談に触れさせてください。高校生の頃、私はスクエア・ダンス[27]が大好きでした（笑）。本当です、大好きでした！　その後、黒人解放運動の頃、誰かに「黒人はスクエア・ダンスをしない！　なぜお前はスクエア・ダンスをしているのだ、黒人はスクエア・ダンスをしないものだ」と言われました。そして、最近になってキャロライナ・チョコレート・ドロップス[28]を初めて聴いたのですが、彼らは本当に素晴らしいですね。そういうわけで、たまたま目にした、ここシカゴで活躍するスクエア・ダンス・コーラーの話をご紹介します。どこかオンラインで読んだのですが、彼女の名前はサンドラ・ブライアントだったと思います。そのスクエア・ダンス・コーラーは、自分たちのスクエア・ダンス・クラブでコールをやって欲しい、という依頼の電話を受けたそうです。彼女が「カレンダーを確認しますね」と言うと、相手はすぐに「カレンダーを見る前に、私たちはゲイのダンス・クラブだということを知ってください」と言ったそうです。彼女はすぐ、こう切り返しました、「カレンダーを見る前に、あなたも私が黒人のスクエア・ダンス・コーラーだと知っておいて」と。これは、スクエア・ダンスがブラックかつゲイになった瞬間で、この時にスクエア・ダンスそのものの何かが変わったと言えるでしょう。

話が脱線してしまったと思ったかもしれませんが、そうではありません。ここで強調したいのは、理論的探求とムーヴメント・アクティヴィズムのいずれにアプローチする際にも、自由の理論と実践を増大・拡大し、複雑化・深化させるようにすることの重要性です。

フェミニズムにはジェンダー間の平等よりもずっとたくさんのことが含まれています。そ

▼29

▼27　4組のペアで四角形を形成し、カントリーやウエスタン音楽に合わせ、「コーラー」の指示に従って踊る形式のダンス。伝統的にはヨーロッパから伝わり、白人中心の文化と見なされている。

▼28　ノースカロライナ州出身の黒人フォーク・バンド。

▼29　ダンスの指示を出す人。

ここにはジェンダー以上にずっとたくさんのことが含まれています。フェミニズムにおいては、資本主義も意識されなければなりません——私が関わっているフェミニズムでは、という意味ですが。フェミニズムにも色々ありますね？　資本主義、人種差別、植民地主義、ポストコロニアル性、能力、そして私たちの想像を超える数のジェンダー、そして列挙しきれないほど多様なセクシュアリティに対応する意識も、含まれているべきです。フェミニズムは、私たちが大抵バラバラに捉えがちな言説や制度、アイデンティティ、イデオロギー間の多様な関連性を認識するのに役立ってきただけではありません。「女性」や「ジェンダー」というカテゴリーを超越した認識論的／組織化戦略を開発するのにも役立ってきました。フェミニストの方法論は、必ずしも常に明白ではない関連性を探るよう、私たちを駆り立ててくれます。そして、フェミニズムは私たちを矛盾の中に存在させ、それらの矛盾の中で何が生産的かを発見するよう促します。フェミニズムは、バラバラに見えるものを総合的に考え、さも自然に同属であるように見えるものを、個別に扱うことを求める思考と行動の方法にこだわります。

さて、トランスジェンダーやジェンダー不整合者の人口は（米国の刑務所には250万人近く、全世界の拘置所や刑務所には800万人以上いる収容者の中で）比較的少ないのに、なぜ彼らに注目すべきなのでしょうか。それは、フェミニストの取るアプローチは、刑務所および産獄複合体を理解しようとする際、たとえそれが世界的に非常に小さな割合であっても、女性受刑者を調査することで刑務所内の女性について知ることができるだけでなく、男性のみを調査した場合よりもはるかにシステムに全体について多くを知ることができる、というものだからです。従って、フェミニストのアプローチは、トランスジェンダーやジェンダー不整合の受刑者についても、我々が学べることや何を変容させることができるかを示してくれるだけでなく、この知識とアクティヴィズムを通して、刑罰の本質と刑務所という装置そのものについての理解を深めさせてくれるのです。

刑務所の廃止については、反人種主義《アンチレイシズム》という背景なくして考えることができないのは事実です。また、刑務所の廃止は、ジェンダー・ポリーシングの廃絶を包めるべきであることも事実です。そのプロセスが、まさに「認識の暴力《エピステミック・ヴァイオレンス》」▼30――ここにいるフェミニスト研究の学生たちは、私が何の話をしているかお分かりでしょう――より広い社会における男女二元論《ジェンダー・バイナリー》に内在する認識の暴力を明らかにするものなのです。

フェミニズムをアボリショニズムの枠組みに取り入れる、あるいは逆にアボリショニズム

▼30　インド人文芸評論家、フェミニスト批評家でコロンビア大学教授であるガヤトリ・チャクラヴォルティ・スピヴァクが、主体を他者として扱うことを批判する上で用いた概念。

をフェミニズムの枠組みに取り入れることは、「個人的なことは政治的なこと（The personal is political）」[31]というフェミニズムの古いスローガンを真摯に受け止めることを意味します。個人的なことは政治的なこと――これはどなたも覚えていらっしゃいますよね？　個人的なことは政治的なことです。私たちはベス・リッチーの考察を参考に、刑務所の制度的な暴力が、家庭内暴力および個人的な暴行や性的暴行を補完しているという、その危険な拡張性について考えなければなりません。また、個々の加害者を投獄することが、加害者が犯したとされる暴力を再生産する以外にどんな効果を持つのかを問わなければなりません。別の言い方をすれば、犯罪化が問題の存続を許しているのです。

そして、女性に対する暴力と最前線で闘っている人たちは、アボリション運動の最前線でも闘うべきだと私は思います。そして、警察による犯罪に反対する人々は、家庭内暴力――家庭内のものとして構築されている暴力――にも反対すべきです。公的暴力と個人的、あるいは個人化された暴力との関連性を理解すべきなのです。

アボリショニズムの理論と実践には、フェミニスト哲学的な側面があります。個人的なことは政治的なこと。制度に対する闘争と、我々の個としての生活を立て直し、自己を再生するための闘争との間には、深い関係性があります。私たちは、例えば、感情的な反応として、しばしば因果応報的な構造を再現してしまいます。誰かが私たちを言葉、またはその他の手段で攻撃してきたら、どう反応しますか？　反撃しますね。国家の因果応報的な傾向は、私たち自身の感情的な反応にも刷り込まれています。「政治的なこと」は、「個人的なこと」の中でも再生産されるのです。これはフェミニスト――マルクス主義の影響を受けたフェミニスト――の洞察であり、そこにはフーコーの影響も表れているかもしれません。フェミニストによる、産獄複合体のようなものを可能にする関係性、その再生産についての洞察です。私たちの黙諾なしに、この国の受刑者数が250万人近くまで増加することはあり得ませんでした。それに、私たちは精神科医療機関が往々にして産獄複合体の重要な一部であるということも認識しておらず、製薬産業複合体と産獄複合体の交差《インターセクション》も認識していません。私が指摘しておきたいのは、1980～1990年代のレーガン～ブッシュ時代、そしてクリントン時代に、もっと強力な抵抗を開始していれば、今日これほど巨大なものに立ち向かわなくても良かっただろうということです。

過去数十年の間、我々は古い知識の多くを捨て去る必要がありました。我々は人種差別意識を捨て去ろうとしなければなりませんでしたが、それは白人だけではありません。有色人

▼31　フェミニストであり女性解放運動の活動家であるキャロル・ハニッシュが執筆した記事のタイトルとして有名になったが、それ以前から女性解放運動のスローガンとして60年代以降のアメリカで用いられていた。

種の人々もまた、人種差別は個人の問題であり、それは主に個人の態度の問題であり、感受性の訓練によって対処できるという思い込みを捨て去る必要があったのです。

ドン・アイマス[32]が5年ほど前に、ラトガース大の女子バスケットボール・チームを「縮れ頭の女たち」と呼んだことを覚えていますよね？　その5年後、なんと彼は改心しました！　しかし、当然ながらこれが、我々の制度の中でも最も人種差別的である死刑によって、トロイ・デイヴィスの命が奪われたという事実を埋め合わせることはできません。どんなに心理療法や集団研修を重ねても、この国のレイシズムに効果的に対処することはできません。レイシズムの構造そのものを解体しない限り。

刑務所はレイシズムの化身です。ミシェル・アレクサンダーが指摘するように、刑務所は新たなジム・クロウ法を構成しています。しかし、刑務所はさらに産獄複合体の根幹として、刑罰の収益性の増大を象徴しています。また、グローバル・サウスの国々の有色人種と移民の人々を余剰人口として、使い捨て人材として扱うという、より一層グローバル化する戦略をも象徴しています。

彼ら全員を巨大なゴミ箱に入れ、彼らをコントロールするための高度な電子テクノロジーを導入し、そこに放置する。その間、周囲の社会はより安全でより自由であるというイデオロギー的幻想を作り上げる。だって、危険な黒人やラテン系、ネイティヴ・アメリカン、それに危険なアジア人や危険な白人、そしてもちろん危険なムスリムはしっかり監禁されていますから！

さらにその間、企業は利益を上げ、貧しい地域社会が苦しんでいます！　公教育が苦しんでいます！　公教育が苦しむのは、企業論理に基づけば利益が出ないものだからです。公的医療が苦しんでいます。刑罰が利益になるのだから、もちろん医療も利益になるというのです。完全なる理不尽！　これはとんでもないことです。

また、イスラエル国家が、アメリカの刑務所のために開発した監獄テクノロジーを、イスラエル内の8000人以上のパレスチナ人政治犯をコントロールするためだけでなく、より広範なパレスチナ人支配のために使用していることも言語道断です。

例えば、まるでアメリカとメキシコ間の国境の壁のような分離壁やその他の監獄テクノロジーは、イスラエルの隔離政策による実質的な構築物です。

パレスチナ人四人の監禁と拷問によって利益を得ているG4Sという組織・企業にはG4Sセキュア・ソリューションズという、以前はワッケンハット（Wackenhut）と呼ばれていた

▼32　「毒舌」で知られるアメリカのラジオ・パーソナリティ。2007年のこの「nappy-headed hoes」という黒人女性に対する人種差別的な発言により、CBSラジオを解雇された。

子会社があります。つい最近、その会社のさらに子会社である民間の刑務所運営会社GEOグループは、600万ドル〔約6億3千万円〕ほどの寄付を理由に、フロリダ・アトランティック大学で命名権を主張しようとしましたね？　これには学生たちが立ち上がりました。彼らは言いました。自分たちのフットボール・スタジアムに民間の刑務所運営会社の名前はいらないと！　そして学生たちが勝利しました。学生たちが勝利し、その名は看板から取り除かれました。

カリフォルニア、テキサス、イリノイからイスラエル、占領下のパレスチナ、そしてフロリダへと、このような出来事を我々は許してはなりませんでした。過去30年もの間、このようなことを許してはならなかったのです。そして、今日も続くことを許してはなりません。お伝えしておきたいのは、私は新世代の若い学生や労働者が本当に大好きだということです。私の世代からは二世代離れていますが、革命は一世代飛ばして起こると言われています。でも、その飛ばした世代も必死の努力をしてきました！　今40代の方々、あなた方の努力がなかったら、若い世代が台頭してくることはありませんでした。そして、私が若い世代の最も好きなところは、真にフェミニズムに精通していることです。たとえ彼らが自覚していなくても、あるいは認めなくても！　彼らは反人種差別闘争《アンチレイシズム》から学んでいます。彼らは、我々が長い間晒されてきた精神に有害なホモフォビアに侵されていません。そして、彼らはレイシズムやイスラモフォビアと同時に、トランスフォビアにも率先して異議を申し立てます。私が若者と一緒に活動するのを好むのは、何十年も悩まされ続けた抑圧的イデオロギーを背負わされていない状態がどのようなものかを彼らは想像させてくれるからです。

さて、あと少しだけ言いたいことがあります。時間を過ぎているのは分かっています、すみません。でも、もう1ページだけメモがあるのです（笑）。

この若者たちのおかげで、婚姻の平等はますます容認されるようになっていることに触れさせてください。しかも、これらの若者の多くは、結婚の平等を求める闘争の同化主義的な論理にも我々は挑戦しなければならないのだと釘を刺してくれます！　我々は、アウトサイダーがブルジョワ的・ヘテロ家父長的な婚姻制度の輪の中に入ることを容認されたからといって、闘争に勝利したと見なすことはできません。

さて、フェミニズムとアボリショニズムの相互関係の話には適切な終わりがありません。こうした議論によって、我々はそのほんのいくつかの側面を探り始めたばかりです。私はこの話の終わりに到達していませんが、確実に私の持ち時間の終わりには到達してしまいました。そこで、今夜はアサータ・シャクールの言葉で最後を締めくくりたいと思います。

今この瞬間、私は自分自身のことはさほど心配していない。誰でもいつかは死ななければならず、私が望むのは尊厳を持って逝きたいということだけだ。それよりも、アメリカに蔓延する貧困や、絶望感の増大を心配している。私は、我々の未来を担う若い世代のことをもっと心配している。私は、我々の同胞を再び奴隷に変えようとしている産獄複合体の台頭のことをもっと心配している。私は、今日のアメリカの政治状況を構成する抑圧、警察による残虐行為、暴力、断続的なレイシズムの高まりのことをもっと心配している。我々の若者たちには明るい未来を手に入れる資格があり、それを実現するための闘いの一端を担うことが、我々が先祖から引き継いだ使命だと考えている。

第９章　政治的アクティヴィズムと抗議運動
――１９６０年代からオバマ政権時代まで

デイヴィッドソン大学でのスピーチ（２０１３年２月12日）

ありがとうございます、そして皆さんこんばんは。第一に、デイヴィッドソン大学で黒人歴史月間のお祝いに参加させて頂けるのは、嬉しく光栄なことです。ノースカロライナ州はかつてアクティヴィストとして何年も過ごした地なので、機会があればいつでも飛んで来ます。

はじめに申し上げたいのは、黒人歴史月間が1年のうちで最も短い2月にあることに不満を漏らす人がいますが、フレデリック・ダグラスの誕生日があることなど、この月に定められていることには明確な理由があります。さらに、マーティン・ルーサー・キング・ジュニア博士の誕生日を1月の半ばに祝うようになりましたから、2月までお祝いを延長するのだと考えれば、1ヶ月半あることになります。そして、この国の女性の権利のための闘争で黒人女性が果たした本質的な役割を認識している私たちは、女性史月間〔3月〕に入っても黒人の歴史を祝福し続けますので、そうすると黒人史を評価する期間が2ヶ月半あるということになります。ですから、それほど悪くはありません。

黒人史には、北米においても、アフリカにおいても、ヨーロッパにおいても、常に抵抗《レジスタンス》の精神、アクティヴィストの抗議《プロテスト》と変革の精神が吹き込まれていました。ですからここで、60年代から現在に至るまでの社会的抗議と変革についての講演をするために、お招き頂いたことを嬉しく思います。

我々が黒人史を祝福する際の主な目的は、歴史的に有色人種に閉ざされてきた多くの分野で、最初に障壁を打ち破る役割を果たした黒人個人のことを思い出すことではありません。無論、こうした人々のことをまず知ることは大事です。しかしそれ以上に、我々が黒人史を祝福するのは、それがすべての人民の自由を達成し拡大するための、何世紀にも渡る闘争の歴史であるからだと私は信じています。ですから、黒人の歴史はまさにアメリカの歴史であり、世界の歴史でもあります。2008年にオバマ大統領が当選した時、世界中が高揚感に包まれたのには理由があります。黒人解放の歴史的闘争の精神に自らを重ね合わせる黒人男性が、アメリカ大統領に選出されることが可能になったことに世界中の人々が歓喜したのは、自由を求める持続的な闘争、あるいはセドリック・ロビンソン[1]が言うところの「黒人のラディカルな伝統」に自らを重ね合わせる人があらゆるところにいるからです。

これは、どこの人であっても主張することができる伝統です。人種、国籍、地理的な場所に関係なく。さらに、アメリカの黒人は、世界各地で生まれた連帯の恩恵を受けてきました。フレデリック・ダグラスは、奴隷制廃止への支持を得るためヨーロッパに渡りました。アイダ・B・ウェルズ[2]は、イギリス、アイルランド、スコットランドを周り、反リンチ運動への支持を集めました。言うまでもなく、カナダは奴隷制からの聖域を提供しました。逃亡奴隷法により奴隷制から逃れた人々の避難場所が米国内のどこにもなくなってしまった際、「地下鉄道[3]」はカナダまで延長されたのでした。

当然、「スコッツボロー・ナイン[4]」のような事例もあります。私の母は、1930年代から1940年代にかけてスコッツボロー・ナインを解放するための闘争に参加した、多くの

▼1　カリフォルニア大学サンタバーバラ校黒人研究科・政治科学科の教授。代表作に『Black Marxism: The Making of the Black Radical Tradition』(1983)がある。
▼2　19世紀にリンチ事件を調査したジャーナリストであり、反リンチ運動活動家。その功績が認められ、2020年にピュリッツァー賞「死後特別賞」が授与された。
▼3　奴隷制から逃亡した黒人が南部州の外へ移動できるよう補助した市民ネットワークの名称またはその逃亡路。

活動家の一人でした。これは国際的な運動に発展しましたが、その後スコッツボロー・ナインの最後の一人が解放されるまでには何十年もかかりました。1950年代には、「キス事件」として知られるノースカロライナ州での悪名高い事件がありました。1958年、ノースカロライナ州モンローで、6歳くらいの黒人の少年が一緒に遊んでいた白人の女の子にキスをしたところ、強姦未遂容疑で逮捕されたというものです。私がこの事件に言及するのは、その驚くべき特質よりも、それがヨーロッパでメディアの注目を集め、最終的に少年の解放に繋がったからです。そして言うまでもなく、世界的な連帯運動の恩恵を受けてきた政治犯も大勢います。私もその一人です。

私が勾留されていた時、文字通り世界中で運動《キャンペーン》が展開されました。アジア、アフリカ、ラテンアメリカ、ヨーロッパ、旧ソビエト連邦、東西ドイツ。先にキャプラン教授からムミア・アブ＝ジャマールの事例の現状についてお話があったように……彼の苦境については、ここアメリカよりもヨーロッパで公に議論されています。そしてもちろん、ブラックパンサー党（以下ＢＰＰ）の結成は短期間のうちに全米の若者たちの想像力を掻き立てただけでなく、国内すべての主要都市にＢＰＰの支部が作られることになりました。皆さんは、来週の月曜日にＢＰＰのノースカロライナ州ウィンストン・セーラム支部長の講演を聞く機会があると思います。しかも、ＢＰＰはニュージーランドのような場所でも結成されたのです。ＢＰＰ

を結成したのは、ニュージーランドで人種差別と闘っていたマオリ族の人々でした。ブラジルにもBPPがありました。イスラエルにもBPPがありました。

そこで皆さんと、黒人解放のための抗議と闘争が発展させてきた非常に広範な枠組みについて考えてみたいと思います。世界中の人々が黒人解放運動に刺激を受けたことをきっかけに、自国の抑圧的な状況に異議を唱えるアクティヴィズムを展開しました。実際のところ、国外における闘争と自国内の闘争との間には共生関係が、インスピレーションと相互依存の関係性があったと言えるでしょう。南アフリカの歴史的な自由闘争には、ブラック・アメリカンの歴史的な自由闘争に触発された部分があります。ブラック・アメリカンの自由闘争にもまた、南アフリカの自由闘争に触発された部分があります。実際、アメリカで最も人種隔離が著しいアラバマ州バーミンガムという街で育った私は、バーミンガムが「南部のヨハネスブルグ」として知られていたことをきっかけに、南アフリカについて学んだのを覚えています。マーティン・ルーサー・キング博士はガンジーに感化され、人種差別に対する非暴力運動に従事しました。そしてインドでは、かつて「不可触民」と呼ばれていたダリットなど

▼4　1931年にアラバマ州で白人女性2人をレイプした容疑をかけられ、1933年に死刑・事実上の無期懲役などの有罪判決を受けた9人の13～19歳の黒人少年たち。スコッツボロー・ボーイズとも呼ばれる。その後被害者女性が訴えを撤回し、冤罪であったことが明らかになった。

のカースト制に反対する闘いを続けてきた人々が、ブラック・アメリカンの闘争に触発されています。さらに最近では、パレスチナの若者たちがアメリカの60年代のフリーダム・ライドを再現する形で、パレスチナの占領地で「フリーダム・ライド」を組織して隔離されたバスに乗り込み、60年代の黒人と白人のフリーダム・ライダーたちのように逮捕されました。彼らはこのプロジェクトを「パレスチナのフリーダム・ライダース」と呼んでいます。

こうしたことから、黒人史を考察するための、より広範な枠組みについて考えていきたいと思います。私の懸念は、この国の歴史と、我々の集団としての関係には深刻な亀裂があるということです。皆さんの多くは、ウィリアム・フォークナー▼5の名言をよくご存じだと思いますが、ここで改めて引用しておきましょう。「過去は決して死なない。過去は決して死なない。過ぎ去りさえしない」。つまり、我々は過去の亡霊と共に生きています。奴隷制の亡霊と共に生きている。なぜ2013年だというのに奴隷解放宣言150周年を盛大に祝わないのでしょうか？　不思議だと思いませんか？　オバマ大統領が12月31日に奴隷解放宣言の記念日を祝うよう布告したことは知っていますが、実際にそれに応じた例を私は知りません。皆さんはご存じですか？　憲法修正第13条批准の150周年には何か計画されているでしょうか？　また映画の制作でしょうか？

過去の亡霊と共に生きる、ということについてもう少し話をしたいと思います。今回私は、

60年代の抗議運動についての講演を依頼されました。しかし、19世紀に奴隷制が完全に撤廃されていたなら、20世紀中期にこのような抗議運動、黒人解放運動を作り上げる必要はありませんでした。そして「公民権運動」として知られるもの、その参加者の多くは「自由《フリーダム・》運動《ムーヴメント》」と呼んでいた運動は、自由と公民権の興味深い相違を明らかにしました。まるで公民権が自由という概念全体を侵食したかのように、いつの間にか自由を勝ち取るための唯一の方法が、既存の社会構造の中で公民権を獲得することになっていました。もし1863年の奴隷解放宣言によって、あるいは1865年の憲法修正第13条によって奴隷制が廃絶されていたなら、黒人は完全かつ平等な市民権を享受していたはずで、新たな運動を起こす必要はなかったのです。

アメリカ史の中で最も知られざる時代の一つに、「ラディカル・リコンストラクション」の時代があります。それはまさしく、最もラディカルな時代でした。

この時代には黒人の選出議員がいました。次に同じことが起こるまでに、我々は100年以上待つことになります。公教育の発展もありました。この国の人々は、南部に公教育をもたらしたのは元奴隷たちであったという事実をまだ知りません。教育を求める彼らの粘り強

▼5　南部ミシシッピ州出身のノーベル文学賞受賞作家。

い運動がなければ、南部の白人の子供たちも教育を受ける機会を得られなかったでしょう。なぜかというと、教育は自由を意味したからです。教育なくして自由はありません。この短期間には、もちろん経済発展もありました。1865年から1877年までの期間がそれにあたり、これがラディカル・リコンストラクション期です。実際のところ、様々な州の議会に黒人がいた間、人種に関するものだけでなく、女性の権利に関するものなど、多くの進歩的な法律が可決されています。

ずっと考えていたのですが、もし我々が本当に奴隷解放宣言から150周年を祝うことができ、今から憲法修正第13条の150周年までの間にあと2年あるのなら、高校から大学院レベルまでの全国民が、W・E・B・デュボイスの『アメリカの黒人復興期《ブラック・リコンストラクション》』〈未邦訳〉を読むべきです。我々は1960年代に、本来なら1860年代に解決されているべきだった問題に直面しました。そして私がこのことを指摘するのは、2060年にはどうなっているのかを考えるからです。人々はまだ同じ問題に取り組んでいるのでしょうか？　我々が将来のことを考える時、自らの寿命に囚われることなく、未来の歴史を想像することが大切だと思います。人々はよく、「そんなに時間がかかるなら、私はもう死んでいる」と言います。だから何だというのでしょう？　誰でも死にますよね？　もし奴隷制と闘っていた人たち、フレデリック・ダグラスや反リンチ運動のアイダ・B・ウェルズのような人たちが、自らの貢献についてそのような極めて狭い個人主義的な感覚を持っていたとしたら、今日の我々はどうなっていたでしょうか？　だからこそ我々は、自らの寿命に囚われずに未来を想像する方法を学んでいかなければなりません。

私が70年代にノースカロライナ州で行っていたことの一つは、この州を現実に支配していたクー・クラックス・クランと闘うことでした。夕食中に何人かに話したのですが、その頃ノースカロライナ州の様々な都市や町に、訪問者を歓迎するクー・クラックス・クラン騎士団の大きな看板があったことを覚えています。それに、クー・クラックス・クランのメンバーは、あの装束で公の場に姿を現していました。夕食の席で話したように、私はノースカロライナ州ローリーで二つの大規模な行進の組織化に携わりましたが、それは「人種差別と政治的抑圧に反対する全米同盟（National Alliance Against Racist and Political Repression）」という多人種組織への参加を通してでした。我々は、クランが何を計画しているか情報を収集するため、何人かの白人メンバーをクランのバーに送り込んだりしていました。クランが黒人に対して振るってきた暴力の歴史、それが過去だけでなく60年代や70年代当時も横行していたことを踏まえ、彼らが我々を標的にしているのではないかと非常に警戒していたからです。

クー・クラックス・クランを人種差別という構造全体の象徴として語る時、人種隔離政策について考える時、私たちはしばしばそれが奴隷制を起源とするものと思い込みがちです。

しかし、クー・クラックス・クランは奴隷制廃止直後に設立されていますよね？　人種隔離政策も、奴隷制廃止の余波の中、黒人によるラディカル・リコンストラクション期の直後に、自由の身となった黒人を管理するために始まったのです。この当時、それまで歴史的に服従させられ鎖に繋がれていた人々が、自由に自らを表現する機会を得たことには、どのような意味があったのか？　まあ要するに、それを望まない人たちがいたということです。無論、奴隷制を復活させたがっていた人たちもいました。しかし、自由な黒人の身体を管理する戦略は他にもたくさんありました。

もしもクー・クラックス・クランによる暴力や、今日の刑罰産業の基盤となった受刑者賃貸借制度といった戦略が実行されることがなかったなら、自由の身となった黒人たちはこの国のすべての人民のために民主主義を推し進めることに、はるかに大きな成功を収めていたことでしょう。もし黒人が奴隷制の直後に完全な市民権を得ていたら、1960年代の闘争は不要でした。でも、私たちが1950年代と60年代の南部における闘争、特にモンゴメリー・バス・ボイコットについて考える時、私たちは必然的にマーティン・ルーサー・キング博士を想起します。私たちはローザ・パークスについても考えを巡らせますが、『モンゴメリー・バス・ボイコットとそれを始めた女性たち』▼6〔未邦訳〕という本を書いたジョー・アン・ロビンソンにも注目すべきです。私は何度も黒人歴史月間で講演してきましたが、この運動を起こしたのは1人や2人の個人ではなく、実のところ、大部分が女性で占められた集団的な背景があること、それが黒人女性、メイドや洗濯婦、料理人をしていた貧しい黒人女性たちであったことを忘れないで欲しいと伝え続けています。バスに乗ることを集団的に拒否したのは、これらの人々なのです。

異なる世界を想像し、現在の生活を可能にしてくれたことを私たちが感謝しなければならないのは、彼女たちのような人々です。素晴らしい本『二度、正義のために』[7]〈未邦訳〉の題材になった、クローデット・コルヴィン[8]もその一人です。クローデット・コルヴィンは、ローザ・パークスが行動を起こす前にバスの後部座席への移動を拒否したという人ですから、皆さんもぜひ読んでみてください。クローデット・コルヴィンは、それ以前に逮捕もされています。こうしたことからも気づくように、私たちは個人主義的に考え、英雄的な個人だけが歴史を変えることができると思い込んでいます。ここでマーティン・ルーサー・キング博

▼6　Jo Ann Gibson『The Montgomery Bus Boycott and the Women who Started it: The Memoir of Jo Ann Gibson Robinson』(1987).

▼7　Phillip Hoose『Claudette Colvin: Twice Toward Justice』(2009).

▼8　ローザ・パークス以前に、モンゴメリーの人種隔離されたバスの座席譲渡拒否をした当時10代の黒人看護助手。公民権運動の先駆的活動家。

士に注目したいのは、そのためです。偉大な人物でしたが、私の考えでは、彼の偉大さは集団的ムーヴメントから学習したという事実に根ざしています。彼はムーヴメントとの関係の中で成長を遂げました。彼は自らを、抑圧された大衆に自由をもたらす単一の個人とは捉えていなかったのです。

そして、16番街バプティスト教会の爆破事件もありました。アラバマ州バーミンガムで日曜の朝に殺害されたキャロル・ロバートソン、シンシア・ウェズリー、アディ・メイ・コリンズ、デニス・マクネアの死の、より広範な象徴的意味は、黒人の少女たちが自由のために闘う女性に成長する機会を得ることなく、生涯を絶たれてしまったということです。興味深いことに、彼女たちが殺される数ヶ月前、子供たちによるデモ行進がありました。バーミンガムでの子供たちの行進《チルドレンズ・マーチ》では、警察と警察犬、強力な放水砲を携えた消防士に立ち向かった子供たちが、この運動全体の中で最もドラマチックな瞬間のいくつかを担いました。子供たちが正義のために身を投じたのです。こうした事実は、単一の個人に執拗に焦点を当てていると忘れ去られてしまいます。

再び黒人解放運動、公民権運動というテーマに話を戻しましょう。この自由運動《フリーダム・ムーヴメント》は広範なものでした。国家全体の変革を目指すものでした。決められた、変わることのない体制において単に公民権を獲得すればいいというものではありませんでした。これまで、この運動を、公民権という小さな枠に押し込めた歴史的記憶を作り上げようとする企てがありました。当然私は、公民権が重要ではないと言っているのではありません。21世紀にはまだ多くの重要な公民権運動があります。移民の人権のための闘争も、公民権闘争です。囚人の権利を守るための闘争も、公民権闘争です。ＬＧＢＴコミュニティの婚姻の平等を求める闘いも、公民権闘争です。しかし、自由とは、公民権よりもずっと包括的なものです。60年代の我々の中には、単に社会に完全に参加するための正式な権利を獲得することが問題なのではなく、19世紀に奴隷制廃止計画から省略された「40エーカーとラバ１頭」[9]のことであると主張した者もいました。これは、経済的自由のことです。

我々が求めていたのは実質的な自由です。無償の教育。無償の医療。妥当な価格の住宅。これらの課題は19世紀の奴隷制廃止計画に含まれているべきだったことで、こうして21世紀になった今でも、私たちは妥当な価格の住宅や医療を手に入れたとは言えず、教育はすっかり商品化されています。将来収入を得る能力を養うことが優先されてしまったため、多くの人は知識を獲得するためのプロセスすら理解することができないほど、教育は徹底的に商品

▼9　南北戦争後に解放奴隷に約束された補償。農地とする40エーカーの土地と、耕作のためのラバ１頭を支給するというもの。しかし、実際には守られなかったため、黒人支援の失敗を象徴している。

化されてしまいました。我々は、無償の教育と無償の医療と妥当な価格の住宅を求めていました。黒人コミュニティにおける人種差別的な警察の占拠を終わらせることを求めていました。これらは、BPPが要求した項目の一部です。

私は1966年にBPPが誕生した、カリフォルニア州オークランドに住んでいます。警察による人種差別と暴力は、未だに我々にとって主要な問題です。つい先日、ある高校の近くで警察に殺害された青年の、17歳の誕生日を祝うイベントで話をしました。トレイヴォン・マーティンも、本来なら今年18歳になっていたことを思い出しましょう。皆さんの中で、BPPの「10項目綱領」をご存じの方はどのくらいいらっしゃいますか?

非常に興味深いのは、黒人の自由闘争の歴史の中の、ある瞬間はこの国の民主主義のための闘争という大きな物語の中に簡単に組み込まれる一方で、別の瞬間は完全に無視されていることです。我が国でマーティン・ルーサー・キング博士の名前を知らない人は一人もいないと思いますし、おそらく世界でも彼の名前を知らない人はごく少数でしょう。それは素晴らしいことです。付け加えておくと、ワシントンに新しく作られた記念碑はことのほか印象的です。そこに添えられていた「私は公正さと平和と正義の楽隊長だった」という誤った引用文は削除されることになったようです。彼が実際に口にしたのは、「もしも私を楽隊長と呼ぶのなら、公正さの楽隊長だったと言ってほしい。平和の楽隊長だったと言ってほしい。

正義の楽隊長だったと言ってほしい」という言葉でした。とはいえ、この記念碑はとても見事なものです。オバマ大統領の二度目の就任式の日でもあった今年のキング牧師記念日[10]に、私はたまたまアンディ・シャラル[11]、モス・デフ[12]、スウィート・ハニー・イン・ザ・ロック[13]によってオーガナイズされた、就任記念平和パーティ（Peace Ball）に出席するためワシントンDCにいました。イベント終了後に、少人数のグループで記念碑を見に行くことにしました。この記念碑にそれほど感動するとは思っていませんでしたが、辺りに誰もいない夜中の2時半に、このモニュメントを目の前にした時、心を打たれました。壁に沿って歩くことができるようになっており、そこに刻まれている様々な引用文を読むことができます。ずいぶん長い道のりを来たと感じたのと同時に、我々は大きく後退しているとも感じました。この、進歩していながら同時に後退もしているという矛盾をどのように伝えればいいでしょうか？

この話をするのは、ほとんどの人がBPPの「10項目綱領」に注目する機会がないことには

▼10　キング牧師の誕生日である1月15日にちなみ、毎年1月の第三月曜日に制定されている国民の祝日。
▼11　ワシントンDCでレストラン兼本屋兼イベント会場 Busboys and Poets を経営するイラク系アメリカ人のアーティストでアクティヴィスト。
▼12　ブルックリン出身のヒップホップ・ラッパー。俳優としても活躍。
▼13　1970年代から活動する黒人女性コーラス・グループ。

理由があり、これらの項目が今日においても重要な課題だからです。アメリカの民主主義という公式の物語《ナラティヴ》に組み込まれている我々の闘争の局面は、すでに達成され完了したとみなされている局面です。そう、黒人は公民権を獲得した。もはや公民権のために闘う必要はなくなった。こうして、自由のための闘争を過去に葬り去ることができるわけです。これは本当のことです。

元々は、ここで10項目を読むつもりでしたが、詳細は「ブラックパンサー党 10項目綱領」と検索してみてください。その10項目の中に「すべての黒人および抑圧された人々のための完全に無料の医療を望む」というのが出てくると思います。この項目を読んでみてください、オバマが支持する医療制度について、人々が頭を抱えている今こそ。私も、何もないよりはまだましだと思うのですが……何もないのとさほど変わりません。そして、「我々は、現在アメリカの連邦、州、郡、市、軍の刑務所および拘置所に収容されているすべての黒人および抑圧された人々の自由を望む」という項目もあります。キャプラン教授が指摘したように、受刑者数は現在２５０万人を数え、ミシェル・アレクサンダーによれば、２０１０年代に収監あるいは更生施設内に拘束されている黒人の数は、１８５０年の奴隷人口を超えているといいます。

60年代から現在までの社会抗議活動《ソーシャル・プロテスト》についてですが……我々が歴史と向き合い、歴史をどう生きているかをきちんと認識できていないという問題、つまり歴史とのトラブルは、現在の民衆行動が往々にしてメディア・プロセスを介すこと、媒介プロセスによって過去にされていく様態にも表れています。このため、1年前に起こった「オキュパイ」運動でさえも、我々の歴史的記憶の中に押しやられてしまいます。この運動は、エジプトやチュニジアでの出来事、そしてウィスコンシン州の公務員による反撃とも関連性のある状況の中で、非常に強い力を持って噴出しました。これらの出来事との関連性は当時明らかでした。その後、国内すべての主要都市で占拠が行われ、多くの小都市にも飛び火し、やがて世界中に広がりました。

実際、私個人もフィラデルフィアのオキュパイ本拠地で時間を過ごす機会がありました（歓声と拍手）――フィラデルフィアの方も会場内にいらっしゃるようですね。ニューヨークでも、オークランドでも、港を閉鎖するための実に素晴らしいデモ行進が行われました。そして、ロンドンやベルリンでも。オキュパイ運動は非常に大きな潜在力を持ち、今も秘めています。ですから、ここでオキュパイ運動の将来について考えてみましょう。私たちは、テントがもう張られていないからといって――いくつか残っている場所もありますが――99パーセントの人々の闘争が解体されたと考えてはいけません。私たちはこの短期間に、たくさんのことを学びましたよね？　オキュパイ運動は、1930年代以降には不可能だった、資本主義についてオープンでパブリックな方法で語ることを可能にしてくれました。だからこそ、私たちはこの新しい可能性を祝福し、オキュパイ運動によって作られた政治的空間にまだいるのだということを認識する必要があると思います。テントがなくなってしまったから、もう何も残っていないとする立場をとるべきではありません。たくさんのものが残されています。特に、〔住宅等の〕立ち退きをめぐるアクティヴィズムは盛んです。そしてもちろん、最近ではバラク・オバマ氏の再選を目撃することもできました。この頃には、オバマ氏が救世主であると期待していた人の誰もが、オバマ氏が単なるアメリカ合衆国の大統領であることに気付きました。レイシストで帝国主義のアメリカ合衆国という一国の、大統領でしかないのです。もちろん、私たちは誰もが今期中に事態が好転することを願っていますが、我々が立ち上がり、するべき努力をしない限り、そうはなりません。

私たちはこの選挙から多くのことを学びました。実際には、途方もない出来事でした。一度目の選挙以上に。一度目の選挙では、大半の人が近視眼的に候補者個人に注目していましたよね？　今回、我々の多くが共和党の候補者が勝つのではないかと心配していました。それは政治的イシューに関しては大惨事を意味します。私は、ロムニーの敗北演説を聞くまで眠れない、と皆に言っていたのを覚えています。2000年にはゴアが新大統領になったと思って寝たら、8年間の悪夢に目覚めたのを覚えています。無論、ロムニーは勝利演説しか書いておらず、敗北演説を書いていなかったので時間がかかりました。しかし、私たちが学んだことは、若者、黒人、ラテン系の人々は、投票者を遠ざけるための有権者弾圧に屈しなかったということです。人々は5時間、6時間、7時間――場合によっては、なんと7時間も並んで待ちました。まるで自由になった南アフリカでの初選挙かと思うほどに。今回の選挙というエキサイティングな現象を忘れないようにしましょう。この選挙は、我々の国について、そして我々にどんなことが達成可能なのかを教えてくれました。

さて、ジェンダー格差の話をしましょう。男性より多くの女性がオバマ氏に投票しました。55対44という比率です。しかし、黒人女性の中では96パーセントがオバマ氏に投票したのに対し、黒人男性の中では87パーセントでした。ラテン系女性は76パーセントがオバマに投票したのに対し、ラテン系男性は65パーセントでした。しかし、先ほど触れたように、白人男性の過半数がロムニーに投票したという事実をどうしましょうか？　これは恐ろしい。本当に恐ろしいことです。レイシズムの根強さを物語っています。しかし同時に、白人男性はもはや国家の計画を独占的にコントロールできないことも分かりました。これは大きな勝利です！　ちなみに、もしあなたが白人男性でも、必ずしも私が今述べている集団的「白人男性」と自らを同一視する必要はありません。

ここで、移民の人権運動《キャンペーン》について、すでに述べた点をいくつかを繰り返します。まず、オバマ大統領に対する深刻な批判を。私はオバマ大統領に対して多くの批判をしています。グアンタナモ湾は、現時点にはとっくに閉鎖されているべきだったと思います。そして、アフガニスタンに派兵すべきではありませんでした。同時に、私はフェミニスト的アプローチを用いることによって、オバマ大統領を支持しながら、極めて批判的でもあるという矛盾を解決することができています。

とりわけ、私は政治的な言説があまりにも一律的になっていることに批判的です。例えば、我々は労働者階級の人々について話すことさえできなくなってしまいました。いつから皆が「中産階級」になったのでしょうか？　そして、客観的には「中産階級」であるかもしれない者でも、労働者階級に共感することはできます。労働者階級について語れなくなったことは、何かがおかしくなっているということです。資本主義について話すことができるようにするため、より柔軟に領域を開いていくにはどうすればいいのか。これは、我々の言説の中に労働者階級という概念を再導入しなければならないことを意味します。貧しい人々——労働者階級について語れなければ、どのように貧しい人々について語ることができるでしょうか。どのように失業者について語ることができるでしょうか？　どのようにグローバル資本主義と1980年代に起こり始めた産業の空洞化プロセスによって、余剰人口の一部となってしまったすべての人々について語ることができるでしょうか。ですから、移民の人権の話もしなければならないのです。移民の人権は、グローバル化のプロセスと密接に関連しています。オバマ大統領が移民の人権を推進しようとしているのは良いことだと思いますが、DREAM法[14]だけでは十分ではありません。DREAM法は重要ですが、焼け石に水でしかありません。始まりの一歩を踏み出したとは言い難い。そして、DREAM法は軍事従事者に市民権付与への道筋を作るという理由で反対している人たちに向けて言わせてください。これも同様に、軍隊に反対の立場を取りながら、同時にDREAM法を支持することは可能です。軍隊における同性愛者の人権を支持しながら、同時にペンタゴンを解体したいと言うことができるのと同じように。

LGBT問題をめぐるアクティヴィズムにも同じことが言えます。婚姻の平等についても、なぜすべてが婚姻の平等に集約されるのか分かりません。婚姻の平等は市民権の争点として

▼14　Development, Relief, and Education for Alien Minors Act の略で、非合法移民の未成年者を救済する移民制度改革と教育促進を目的とした法案。

重要かもしれませんが、私たちはLGBTコミュニティに属すると考える人々すべてに、単に異性愛規範《ヘテロノーマティヴ》の基準を適用することに留まらず、もっと先へと推し進めなければなりません。実のところ、私にとって同性愛者権利運動《ゲイ・ライツ・ムーヴメント》におけるフェミニズムの局面がとても刺激的だったのは、婚姻に対する批評でした。特に結婚という制度は、奴隷制時代の黒人に対し、イデオロギー的に抑圧的な方法で利用されていたからです。「哀れな黒人たち、結婚さえすれば」一気にすべての問題が解消されるというのでしょうか？　私が言う婚姻に対する批評とは、親密さや感情的なつながり、人生を共にしたいと思う相手との絆についての批評ではありません。そういう話をしているのではありません。私がしているのは、財産の分配を保証するために考案された資本主義制度としての婚姻制度の話です。

私たちはまた、我々のアクティヴィズムの中で、イスラモフォビアとゼノフォビアを最小化するための戦略も組み込むべきです。イスラム教とテロリズムを同一視さようとする試みによって、深刻な攻撃を受けているイスラム教徒を守らなければなりません。それに、イスラム教とはほとんど関係ない人々も攻撃を受けています。例えば、ターバンをまとっていたためにイスラム教徒と混同され殺害されたシク教徒です。すでに述べましたが、移民の人権という極めて重要な問題は、DREAM法や市民権に限定されません。農業労働、経済を活性化させる労働を提供する人々を、歓迎して受け入れるということです。サービス労働など、黒人がかつて担っていた労働に現在携わっている人々のことです。これは黒人史の一部、黒人自由闘争の一部と捉えられるべきです。

もっと時間があれば、障害の問題についてもお話ししたかったです。しかし時間が過ぎてしまいましたので、時間があれば何を話していたかをお伝えしておきます。多くの人々を病気にさせ、たくさんの動物に多大な苦しみを与えてきた「食の政治」と、「食の資本主義的生産」について。パレスチナのこともっと詳しく話したかったです。そして、黒人の自由闘争は21世紀に様々な形で拡大していくであろうということ、そしてアメリカの黒人の自由闘争に共感する者は、今日のパレスチナの姉妹や兄弟たちとも明確に共感すべきであるということ。

最後に、どんなにプログレッシヴで革新的なアクティヴィズムに従事する場合にも、我々が覚えておくべき原則があります。この原則はマーティン・ルーサー・キング博士から導かれたもので、我々の運動すべてのスローガンとなるべきです。「公正は不可分である。いかなる場所の不正も、あらゆる場所の公正への脅威となる」。

第10章 国境を越える連帯

トルコ、イスタンブール、ボアズィチ大学でのスピーチ（2015年1月9日）

フラント・ディンク[▼1]は、今でも植民地主義、集団虐殺《ジェノサイド》、レイシズムとの闘いの象徴です。正義と平和と平等という彼の夢を断つことが可能だとみなしてきた者たちは、彼を倒したことで無数のフラント・ディンクが生み出され、世界中の人々が「私はフラント・ディンクだ」と叫んでいることを知るべきです。私たちは知っています、彼の正義と平等のための闘いが生き続けていることを。アルメニア人大虐殺の現代社会への影響を追及するための知的環境を作る努力は、レイシズム、ジェノサイド、開拓者植民地主義に対するグローバルな抵

▼1　2007年に暗殺されたアルメニア系トルコ人ジャーナリストで新聞『アゴス』を発行し編集長を20年以上務めた。トルコにおける少数派アルメニア系住民の人権を訴えると共に、第一次世界大戦中に起きたアルメニア人虐殺のトルコの責任追及に尽力していた。

抗の中核をなしていると思います。フラント・ディンクの精神は生き続け、ますます力強くなっています。

フラント・ディンクを追悼する多数の著名な講演者の方々の中に、私も加えて頂いたことを大変嬉しく思っています。そのことに、実は少し気後れもしています。この講演会に定期的に参加されている皆さんは、アルンドハティ・ロイやナオミ・クライン、ノーム・チョムスキー、ロイック・ヴァカンなどの講演を聞いていらっしゃるわけですから。皆さんのご期待に応えられることを願っています。

それに、フラント・ディンクの生涯と功績を記念するこのような機会が、私の初めてのトルコ訪問に繋がったことも大変嬉しく思います。幼い頃からイスタンブールを夢見ていたのに、実際にこの国を訪れるまでに何十年もかかってしまったとは信じられません。特に、私は親しい友人であるジェームス・ボールドウィンからトルコの地理、政治、知的生活から彼が受けた人格形成上の影響、そしてまさにこの大学について聞いていたからです。また、私がまだとても若い活動家だった頃――年を重ねるにつれて記憶や思考は若返っていくように思えます――ナーズム・ヒクメット[2]の言葉を読み、当時のすべての優れた共産主義者と同じように、その言葉に触発されたことを記憶しています。そして、私自身が投獄されていた時、連帯のメッセージや、トルコで私のために組織されたイベントについての様々な記述に励まされ、勇気づけられました。本当に、これが初のトルコ訪問だとは信じられません。私がフランクフルトの大学院にいた頃、妹が素晴らしいトルコ旅行をしていたので、50年経ってやっと追いついたと報告しなければなりません。

トルコを訪問するのは今回が初めてなので、当時の私の自由のために個人的に運動に参加してくれた方、ご両親が関わっていたという方、もしかするとご祖父母が私を擁護するための国際的な運動に関わっていたという方に感謝を述べたいと思います。私がＦＢＩの10大最重要指名手配犯リストに載っていたという事実よりも——これを言うと最近は拍手をもらうので、長く生きていると、歴史の受け止められ方がどれほど変わるかを実感します——はるかに重要なのは、誰もが不可能であると思っていたことを達成した大規模な国際的キャンペーンの方です。要するに、当時アメリカで最も強大な権力を持っていた者たちとの勝ち目がないとされていた対決に勝利したのです。忘れないでおきましょう、その当時ロナルド・レーガンがカリフォルニア州知事、リチャード・ニクソンが合衆国大統領、Ｊ・エドガー・フーヴァーがＦＢＩ長官であったことを。

▼2　トルコ出身の詩人、劇作家。共産主義者の革命運動家。トルコ共産党の活動に深く関与していたことから、反乱を扇動したとして実刑判決を受け17年間を獄中で過ごす。その後ロシアに亡命。日本では広島の原爆投下を題材にした作品「死んだ女の子」がよく知られている。

私はよく、人々にどのような人物として記憶されたいか尋ねられます。私の答えは、人々が個人としての私をどう記憶するかには、あまり関心がないということです。私が人々に覚えておいてもらいたいのは、私の解放を求めるムーヴメントが勝利を収めたという事実です。それは、私が無実であったにもかかわらず、全く勝ち目がない状況での勝利でした。アメリカの国家権力の力は極めて強大だったので、私はガス室に送り込まれるか、残りの人生を刑務所内で過ごすことになると考えられていました。ムーヴメントのおかげで、私は今日、皆さんと一緒にここにいます。

私とトルコとの関係は、それ以外の連帯のムーヴメントによっても形成されてきました。最近では、ここトルコのF型刑務所[3]に抵抗を挑み、ハンガー・ストライキを行った受刑者を含む人々を支援するための連帯活動に協力しました。また、アブドゥラ・オジャラン[4]やピナー・セレック[5]のような他の政治犯への連帯を促す活動にも積極的に取り組んできました。

私とこの国との歴史的な関係が、国際的な連帯を背景として築かれてきたことにちなみ、この講演のタイトルを「国境を越える連帯——レイシズム、ジェノサイド、開拓者植民地主義への抵抗」としました。世界の様々な地域、特にアメリカ、トルコ、占領下のパレスチナにおけるムーヴメントの未来の可能性、そしてそれらを結びつけるための潜在的な関連性を示すことが目的です。

常々「ジェノサイド」という用語は、第二次世界大戦中ファシストによってもたらされた惨劇を受けて1948年12月9日に採択された、国連の「集団殺害罪《ジェノサイド》の防止および処罰に関する条約」〔通称「ジェノサイド条約」〕で定義された特定の条件を満たす場合にのみ使用されてきました。この条約の文言はご存じの方もいらっしゃると思いますが、ここで読んでみましょう。「国民的、人種的、民族的または宗教的集団を全部または一部破壊する意図をもって、その集団の構成員を殺害すること、集団構成員に対して重大な肉体的または精神的な危害を加えること、集団の全部または一部に肉体の破壊をもたらすために意図された生活条件を集団に対して故意に課すること、集団内における出生を防止することを意図する措置を課すること、集団の児童を他の集団に強制的に移すことのいずれかに該当する行為」。

▼3　正式名称は「F-type High Security Closed Institutions for the Execution of Sentences」。トルコの厳重警備の終身刑受刑者が収監されている刑務所で、政治犯も含まれている。

▼4　クルド独立運動の指導者で、武装組織クルド労働者党（Partiya Karkerên Kurdistanê: PKK）の創立者であり元党首。PKKはテロリスト組織に認定され、オジャランは1999年に身柄を拘束されて死刑判決を受けた後、トルコで死刑が廃止されたため終身刑となり現在も服役中。

▼5　フェミニストの社会学者で、女性や性的マイノリティ、貧困者、ストリート・チルドレン、クルド人などの人権を訴える活動家。1998年に市場で起こった爆発事故に関わっているとして逮捕され、15年間にわたり繰り返し起訴されるが無罪となってきた。2013年イスタンブール刑事裁判所で終身刑を言い渡されるが、翌年最高裁で最終的に棄却された。

この条約は1948年に可決されていますが、アメリカは1987年までの約40年間これを批准しませんでした。しかし、実はこの条約が可決されてからわずか3年後に、アメリカの公民権会議（Civil Rights Congress: CRC）[6]が、米国内の黒人に対するジェノサイドを告発する請願書を国連に提出していたのです。この請願書には、当時政府から非難を受けていたW・E・B・デュボイスなどの著名人が署名しています。これをニューヨークではポール・ロブスン[7]が国連に提出し、パリでは公民権弁護士のウィリアム・L・パターソンが提出しました。パターソンは当時、CRCの事務局長でした。彼は共産党の黒人党員であり、スコッツボロー・ナインを弁護した著名な弁護士ですが、彼は帰国後パスポートを没収されています。この時代、共産主義者と共産主義者の疑いをかけられた者は深刻な攻撃を受けていました。

この請願書の序文には、次のような言葉が綴られています。「アメリカ都市部の非人道的な黒人ゲットーおよび南部の綿花農園には、早死、貧困、病気を誘発する条件を故意に創出することで意図的に捻じ曲げられ、歪められた生命の、人種に基づく集団殺戮の記録がある。この記録は、国連が定める『集団殺害罪の防止および処罰に関する条約』の日常的かつ拡大し続ける違反を示しており、このような極度の不正を終わらせるための声高な非難を呼びかけるものである」。序文は続けて、「従って、我々は合衆国の抑圧された黒人市民が、隔離され、差別され、長期にわたる暴力の対象とされ、政府の全部門の一貫した意識的で一元化された政策の結果として、大量虐殺に苦しめられていることを主張する」としています。続けて彼らは、条約に従い、集団の構成員が殺害されたことを証明する証拠を示していきます。彼らは——これは1951年のことです——警察による殺害、ギャング、クー・クラックス・クランによる殺害、その他のレイシスト集団による殺害の証拠を示します。彼らはこれらの証拠が、鎖に繋がれた状態で、保安官事務所の奥の小部屋で、郡刑務所や管区警察署の監房で、街中で撲殺され、見せかけの法体系と法務官僚によって無実の罪を着せられて殺害された何千人もの人々に関連していると指摘しています。彼らはまた、白人を「サー」と呼ばなかったり、帽子を取って挨拶しなかったり、隅に移動しなかったりしたために、相当数の黒人が殺されたことも示しています。

私が最初に、この歴史的なジェノサイド反対の請願書に言及したのは、当時ここでもアルメニア人の集団虐殺、死の行進、子供の拉致、支配的文化への同化という出来事に対して、このような告発が行われていた可能性があったと思うからです。私は、フェティエ・チェテ

▼6　1946年から1956年の間存在していた全国規模の黒人公民権組織。
▼7　俳優兼バスバリトンのオペラ歌手で公民権活動家。共産主義に傾倒していたため、FBIに目をつけられ様々な妨害を受けた。

ィン[8]によるアルメニア系トルコ人の回顧録、『私の祖母』[9]〔未邦訳〕という感動的な著書を読む機会がありました。この会場にいる方は、全員この本を読んでらっしゃることでしょう。また、トルコ人の200万人に少なくとも一人はアルメニア系の祖父母を持つ可能性があるにもかかわらず、人種差別の蔓延により、多くの人が自らの家系図を調べることが妨げられてきたということも知りました。

『私の祖母』を読んで、私はクロード・メイヤスーというフランスのマルクス主義の人類学者の研究のことを考えました。この祖先に関する沈黙の重圧は、彼の奴隷制の定義が「社会的死」の概念を核としていることを思い出させました。彼は、奴隷をある種の社会的死の対象として定義しました——奴隷を「生まれていない者」とした。言うまでもなく、自らを家系図の中に認めることができないことによってもたらされる重大な集団的・心理的ダメージというものがあります。私と同年代のアメリカに住むアフリカ系の人間は、私の場合ですと祖母より先の、自分の祖先を辿ることができないという感覚をよく知っています。祖先を奪われることは、現在と未来に影響します。ご存じの通り、『私の祖母』では、民族浄化の過程、死の行進、憲兵による殺害、そして橋を渡っている時に「祖母」の実の祖母が孫のうちの2人を川に投げ入れ、孫たちが溺れたことを確認してから自身も川に身を投じたことなどが詳細に記されています。そして私にとってこの場面は、奴隷制の暴力から救済するために我が子を殺した、アメリカの奴隷の母親たちの歴史的描写と大いに重なりました。トニ・モリスンのノーベル賞受賞の契機となった小説『ビラヴド』〔ハヤカワepi文庫〕は、実在したマーガレット・ガーナーという女性の、そのような物語を基にしています。

私が1951年のジェノサイド請願書について述べたのは、この請願書で説明されている状況の多くが、まだ今日のアメリカに存続しているからです。この分析は、当代アメリカの人種差別的な国家暴力が、アメリカ大陸における先住民の大量殺戮を伴う植民地化を含む、大量虐殺の歴史に深く根ざしていることを理解するのに役立ちます。歴史家クレイグ・ワイルダーは最近の著書で、アイビー・リーグの大学、つまり世界的に知られる大学――ハーバードという名前は、事実上世界のどこでも認識されます――ハーバード、イェール、プリンストンなどが奴隷制の上に設立され、どれほど奴隷制に深く関与しているかを説明しています。しかし、私が考える彼の研究の最も重要な点は、奴隷制とアメリカの高等教育の関係性について語る時、同時にネイティヴ・アメリカンの大量殺戮を伴う植民地化に触れないことはできないと理解していることです。

▼8　トルコの弁護士兼人権活動家。

▼9　Fethiye Çetin『My Grandmother: A Memoir』(2004).

このような捉え方の、より広範な方法論的意味合いに注目することも重要だと思います。我々の歴史は、決して単独で展開することはありません。私たちはそれ以外の物語を知らずして、自分たちの歴史だとするものを本当に伝えることはできません。そして、我々はよく、これら他者の物語が実際には我々自身の物語でもあることを発見します。これが、黒人フェミニストの社会学者ジャッキー・アレクサンダーの、「あなたのシスターたちの物語を知りなさい」という忠告の意味です。これは、我々に常に自らの物語を繰り返し語り、それらを修正し、語り直し、再び提示することを要求する弁証法的プロセスのことです。ですから私たちは、人種と階級と民族《エスニシティ》と国民性《ナショナリティ》とセクシュアリティと能力《アビリティ》の密接な結びつきについて、知らないふりをすることはできないのです。

私はトルコの人々――ここに滞在中の数日間で（実際にはまだ2日半しか経っていませんが）、「トルコに住む人々」と呼ぶ方が相応しいかもしれないことを学びました――皆さんに、この国の帝国主義的な過去とどう向き合うべきかを伝授することはできません。しかし、私がフラント・ディンクやフェティエ・チェティンといった人たちから学んだことは、そのためには自由に発言することが可能でなければならず、自由な言論に従事することが可能でなければならないということです。オスマン帝国末期に起こった、いわゆる「住民交換」[10]を含む民族浄化のプロセスが、ギリシャ人、シリア人、そしてもちろんアルメニア人など、多くの人々に計り知れない様々な形の暴力をもたらしことは、歴史的記録として広く認識されなければなりません。しかも、こうした出来事やこの間のクルド人の歴史についての一般的な議論は、真の社会的変革を想像する前の、なるべく早い段階で行われなければなりません。

アメリカでこのようなことが完全に立ち遅れているのは、先住民に対して行われたジェノサイドについて語る方法を、私たちは知らないからです。私たちは奴隷制についても、どう語ればいいのか分かっていません。でなければ、単に一人の黒人が大統領に選ばれたからといって、いきなり脱人種主義《ポスト・レイシャル》の時代を迎えることができるなどと考える人はいなかったでしょう。私たちは、皆が植民地化された土地に暮らしているのだということを、そもそも認識できていないのです。そしてその間、ネイティヴ・アメリカンたちは貧困に陥った居留地で暮らし続けています。彼らは受刑率が極めて高く――実のところ、一人当たりの受刑率は最も高いです――アルコール依存症や糖尿病といった病気に不均衡に苦しんでいます。その一方で、スポーツ・チームは、ワシントン・レッドスキンズ[▼11]のように、人種に基づいた軽蔑的な名前をつけて、まだ先住民をあざ笑うことを止めていません。私たちは奴隷制についても、

▼10　「一国家一民族」を実現するため、トルコとギリシャの間で1923年にトルコ領内のギリシャ正教徒と、ギリシャ領内のイスラム教徒の交換が実行され、信仰に基づいてそれぞれの領内に属さない者は国外追放された。

▼11　長年批判の対象となってきたこのチーム名は2020年7月、「ワシントン・フットボール・チーム」に改名された。

おそらく被害者と加害者という枠組みの中でしか語る方法を知らないので、その対立構造は深まる一方です。

しかし私が言えるのは、若いアクティヴィストたちは次第にこれらの物語の交差性《インターセクショナリティ》を認識し、それがどのように網の目のように関連し、重なり合っているかを学んでいるということです。従って、近年何度も繰り返されてきた、主に若い黒人男性に向けられた根強い人種差別的暴力《レイシスト・ヴァイオレンス》について分析を進める際、この人種差別的暴力をコンテクスト化する〔文脈・背景・歴史の中に位置づける〕ことを忘れてはならないのです。

ここトルコの皆さんも、この秋と昨年の夏、ミズーリ州のファーガソン、ニューヨーク、ワシントン、シカゴ、西海岸、そして世界各地でも、人々が集団となって街頭に出て、人種差別的な国家暴力を絶対に許さないと意思表明したことをご存じでしょう。人々は街頭で「正義なくして平和なし、人種差別的な警察はいらない」[12]と口にしていました。そして、人々は、日常的に横行するこうした警察による行為と、地方検事と警察の共謀に対し、「黒人の命も大切だ《ブラック・ライヴズ・マター》」と言い続けました。そう、黒人の命も大切なのです。そして我々は、変革が現実の議題に上がることを確信できるまで、街頭に出て声を上げ続けます。秋には、ミズーリ州ファーガソンでマイケル・ブラウンを殺害した警察官が起訴されなかったことに関してだけでなく、〔ニューヨークの〕エリック・ガーナー事件の大陪審決定[13]に対する反応として、ソーシャル・メディアが世界中の人々からの連帯メッセージで溢れました。文字通り世界中で行われたこれらのデモは、国境を越えた連帯を築くことに、とてつもない可能性があることを極めて明確に示しました。

このことが意味しているのは、我々が新自由主義時代《ネオリベラル》に陥っている個人主義から脱する機会を得たかもしれないということです。新自由主義のイデオロギーは個人、自分自身、個人の被害者、個人の加害者に焦点を当てるよう私たちを促します。しかし、個々の警察官にその歴史の重荷を背負わせ、彼らを起訴し、彼らに復讐することで、どうやって人種差別的な国家暴力という巨大な問題を解決できるというのでしょうか。世界中からこれほど多くの連帯が、個々の警察官が不起訴になったという事実だけに対して寄せられたとは考えにくいでしょう。私は個人が責任を負うべきではないと言っているのではありません。人種差別やテロといった暴力行為に関与したすべての個人は責任を負うべきです。しかし、私が言いたいのは、こうした行為を可能にしている社会歴史的な条件に着目していく必要があるということです。

▼12 「No justice, no peace, no racist police」というスローガン。

▼13 エリック・ガーナーを窒息死させた警官、ダニエル・パンタレオを不起訴とした。

私はもうかなりの間、刑罰の主たる手段としての死刑や投獄を廃絶するための取り組みに関わってきました。それは、死刑や投獄の被害を受ける者が圧倒的に有色人種で占められていることへの同情からだけではありません。これらの刑罰の手段は効果がないからです。受刑者のほとんどが社会に見捨てられ、教育や仕事、住宅や医療へのアクセスがなかったせいでそこにいることを踏まえると、このような刑罰に効果はありません。犯罪化や投獄は、こうした他の問題を解決することができないからです。

性暴力の問題も解決しません。最近使われるようになった「監獄フェミニズム（carceral feminism）」という言葉は、ジェンダー暴力に関わった者を犯罪化し、投獄することを求めるフェミニズムを指しますが、これは国家の機能を担うものです。国家の機能を担うというのは、監獄フェミニズムは、性的暴行の解決策として、国家暴力と抑圧、そして異性愛《ヘテロ》家父長制を重んじてしまっているという意味です。従って、これは国家側の抑圧的な仕事に直接関与する者たちには機能しません。多くの警察官たちが有色人種のコミュニティを犯罪化しようとするレイシズムの影響下にあるのは、彼らがそれを個人的に考え出したからではありません――そして、この影響は白人警察官に限定されません。黒人や有色人種の警察官も、レイシズムが警察の仕事を構造的に規定している以上、同じ影響下にあります。つまり、個人に焦点を当て、さもその個人だけが異常であるようにみなすことは、自分たちが闘っているはずの暴力そのものを気づかぬうちに再生産するプロセスに加担することなのです。

私たちはどうすれば、真っ先に加害者個人に注目する捉え方を越えていくことができるでしょうか？　ミズーリ州ファーガソンのマイケル・ブラウン事件では、軍服、軍用車両、軍事兵器などの視覚映像から、私たちは警察の軍事化が進んでいることを知りました。アメリカにおける警察の軍事化は部分的に、9・11直後の時期から全米の警察と共同訓練を実施してきたイスラエル政府の補助によって成し遂げられました。事実、ティモシー・フィッチという名のセントルイス郡警察署長——言うまでもなく、ファーガソン事件という暴力の舞台となった小さな町ファーガソンがあるのがセントルイス郡です——この署長は、「テロ対策」訓練をイスラエルで受けています。全国各地の郡保安官や警察署長、FBI捜査官、爆弾処理技術者などが、イスラエルに出向き、現地でテロ対策の方法を学んでいるのです。

ここで指摘しておきたいのは、人種差別的な警察暴力、特に黒人に対する暴力には奴隷制時代に遡る非常に長い歴史がありますが、現在の状況は間違いなく決定的な局面であるということです。テロリズムおよびテロ対抗措置《カウンターテロリズム》の理論と実践によって、レイシズムがどのように再生産され、複雑化しているかが検証されるようになれば、国境を越える連帯に向けた政治的連携の可能性が想像されるようになるはずです。昨年夏のファーガソンの一連の抗議行動で興味深かったのは、パレスチナの活動家たちがソーシャル・メディアやテレビで流れた映像を見たことによって、ファーガソンで使用されていた催涙ガスの容器が、占領下のパレスチナで使用されていた催涙ガスの容器と完全に同一だと気づいたことです。実のところ、コンバインド・システムス社というアメリカの企業が、その製品である催涙ガス・キャニスターに「CTS（Combined Tactical Systems）」と刻印を施していました。これらの容器に気づいたパレスチナの活動家たちが取った行動は、ファーガソンのデモ参加者に向けて催涙ガスへの対処法をツイートで教えることでした。彼らがアドバイスしたことの一つは、「警察からあまり距離を取るな。至近距離にいれば、警察は催涙ガスを使えない」というものでした。彼ら自身も催涙ガスを浴びることになるからです。おそらく生まれて初めて催涙ガスと対峙したであろう、ファーガソンの若いアクティヴィストたちのために寄せられた数々のアドバイスは、非常に興味深いものばかりでした。彼らは、我々のような一部の年長の活動家のように、必ずしも催涙ガスを浴びるような経験をしていませんから。

私が示唆しているのは、我々が継続的かつ現在進行中の人種差別的警察暴力の蔓延を分析する際の新たな背景であるアメリカの警察の軍事化と、今年の夏ガザの人々が苦しめられた軍事的暴力のような、占領下パレスチナのヨルダン川西岸地区、特にガザの人々に対する継続的な攻撃との間には様々な関連性があるということです。

さらにここで、アメリカの歴史の中でも、最も有名な政治犯の一人に触れたいと思います。

彼女の名前はアサータ・シャクールといいます。アサータは現在キューバ在住で、1980年代からキューバに住み続けています。つい先日、彼女は世界で最も危険なテロリスト10人の一人に指定されました。私自身もかつて、FBIの「10大最重要指名手配犯」に名を連ねたことが先に触れられていましたので、ぜひ、このアサータ・シャクールという女性をこのようなリストに掲載するという決定の動機は何なのかも考えてみてください。彼女の過去についていては本で読むことができます。彼女の自伝は本当に圧倒される内容です。彼女はあらゆる種類の犯罪で虚偽の容疑をかけられました。ここでは詳しく言及しませんので、彼女の自伝で読んでみてください。彼女は最後の一つを除き、すべて無罪となっています。彼女の自伝の第二版には、私が序文を書きました。アサータは、実は私より数歳年下で、現在は60代後半です。キューバで研究をしたり、教師をしたり、芸術活動をしたりと、充実した生活を送っています。では、国土安全保障省はなぜ突然、彼女を世界の「10大最重要指名手配テロリスト」であると決めたのでしょうか？

このように、当時の女性指導者の一人を標的にし、組織的に追い詰めることで、20世紀後半の黒人解放運動を遡及的に犯罪化することは、今日のラディカルな政治闘争に従事する人々を抑止する試みだと私は思います。ですから、私は「テロリスト」という言葉の使われ方には常に警戒しています。私が警戒するのは、我々が知られざるテロの歴史に耐えてきたことを知っているからです。南部でも最も隔離された町で育った私の最初の記憶は、黒人が家を購入したという理由だけで、私の自宅の道を挟んだ向かい側で爆弾が爆発したことでした。私たちは、家や教会を爆破していたクー・クラックス・クランのメンバーが実は誰なのかを知っていました。私の家族と親しかった4人の少女が殺害された1963年の16番街バプティスト教会爆破事件のことは、ご存じの方もいるかもしれません。でも、あれは決して珍しい出来事ではありませんでした。このような爆破事件は常に起きていたのです。それがテロの時代であると認識されていないのは、なぜでしょうか？　ですから、この言葉の使用には慎重にならざるを得ません。そこにはほとんど常に、政治的な動機があるからです。

この講演の締めくくりとして、フェミニズムの理論と分析の重要性について、もう少し具体的にお話ししたいと思います。聴衆の中の女性だけに向けて話すわけではありません。なぜならフェミニズムは、本格的な研究や組織的アクティヴィズムに従事している我々すべてが参考にできる、方法論的な指針を与えてくれると思うからです。フェミニズムのアプローチは多くの場合、はじめは直感的にしか捉えられない社会関係の理解を深めることを促します。誰もが知っている、「個人的なことは政治的なこと」というスローガンがあります。個人レベルで経験する事柄には政治的な奥深い意味も隠されているというだけでなく、私たちの家庭内の生活や日常の感情的な側面も、実はイデオロギーに大きく左右されているという意味です。私たち自身も家庭生活、あるいはそれを通して、しばしば国家の機能を担ってしまっていることがあります。私たちが、自らの感情的な日常に最も親密に属していると思い込んでいるものの多くは、どこか別の場所で生産され、人種差別と抑圧を機能させるために採用されているものなのです。

我々の仲間には刑務所関連の取り組みの中で、刑務所内の女性への暴行と、刑務所の廃止というより大きな計画との間の関連性を常に強く主張してきた者がいます。そして、このより大きな計画においては、我々がどのような立場で国境を越えた連帯に関わるかを理解しておく必要があります。これは、我々の社会的関係や政治的文脈だけでなく、家庭生活も含めた日常の様々な側面を検証しなければならないことを意味します。グローバル資本主義の時代に、企業が先にその方法を学んだのは興味深いことです。つまり、『資本論』の著者が全く想像できなかったであろうやり方で、私たちは交換価値を内面化させてきたのです。でも、これはまた次の講演のトピックとしましょう。

私が指摘しておきたいのは、私たちが全く異質であると考えがちな複数の問題がどのように関連しているかを、巨大企業は明確に把握する方法を編み出しているということです。そのような企業の一例が、世界最大の警備会社G４Sです。[14] 私がG４Sを真っ先に挙げるのは、ナオミ・クラインの「惨事便乗型資本主義」の分析を連想させるやり方で、彼らが現在のフランスの状況▼15を利用しようとするであろうことを確信しているからです。G4Sは、ご存じの方もいらっしゃるように、イスラエルのパレスチナ占領において極めて重要な役割を果たしてきた企業です。刑務所を運営し、検問所のテクノロジーに関与しています。また、不法移民たちの死にも関係しています。中でも、ジミー・ムベンガの事例は重要です。彼はアンゴラに強制送還される過程で、イギリスのG4S警備員に殺害されました。G4Sは南アフリカでも民間刑務所の運営をしています。G4Sは、アフリカ大陸全体で最大の法人雇用主です。刑務所の所有と運営に関わり、軍隊に武器を提供し、ロック・スターの警備をし、虐待を受けた女性や「リスクの高い少女」たちのための施設まで運営しているのが、G4Sという巨大企業です。このことに言及するのは、我々がずっと前に理解しているべきだったこれらの事柄の関連性を、この企業はすでに把握していると見られるからです。

巨大企業といえば、〔ボアズィチ大学の〕学生がスターバックスに対する抗議に成功したそうですね。このキャンパスでスターバックスが利用できるのは今日が最後でしょうか？　めでたいですね。特に、スターバックスがどんなに頑張っても足元にも及ばない、トルコ・コーヒーというものがここにはありますから。

私からお話しする最後の事例もアメリカの事例ですが、どの国も例外ではない世界的「パンデミック」を反映するものです。性的暴力《セクシャル・ヴァイオレンス》、セクシャル・ハラスメント、性的暴行《セクシャル・アサルト》のことです。私的な暴力は、国家の暴力と無関係ではありません。私的な暴力の加害者は、どこで暴力の実践に関与する方法を学ぶのでしょうか？　誰が彼らに、暴力を振るってもいいと教えているのでしょうか？　当然、これはまた別の大きな問題です。ここでマリッサ・アレキサンダーという、若い女性の事件に注目してみたいと思います。マイケル・ブラウンとエリック・ガーナーの名前はご存じですよね？　その並びに、暴力を振るう夫から身を守るために、極端な行動を起こさねばならないと考えるに至った若い黒人女性、マリッサ・アレキサンダーの名前も追加してください。彼女は空に向けて武器を発砲しました。撃たれた者はいません。しかし、奇しくもトレイヴォン・マーティン殺害事件――彼の名前は覚えていますよね――と同じ司法管轄区で、彼を殺害したジョージ・ジマーマンは無罪になり、マリッサ・アレキサンダーは性的暴行から身を守ろうとした罪で懲役20年の判決を受けました。最近になって、懲役60年に再宣告される可能性に直面した彼女は司法取引に応じることにしたのですが、それは彼女がそれ以降、電子足輪[16]を着用しなければならないことを意味します。

人種差別的暴力と性的暴力という行為は、容認されているだけでなく、明白に（明白でな

▼14　ナオミ・クライン『ショック・ドクトリン――惨事便乗型資本主義の正体を暴く』（岩波書店）。

▼15　この講演の2日前、2015年1月7日に、パリでシャルリー・エブド襲撃事件が起こり、また数日後の1月13日と14日にはパリ同時多発テロ事件が起こっている。

い場合は暗黙に）奨励されています。これらの暴力の様式が認められる時——大抵の場合は隠され、見えなくされています——それらはほとんどの場合、構造的な排除と差別の最も劇的な事例となります。その分析をさらに発展させていくことが重要だと思いますが、私たちが国境を越えた国際的な連帯と関係性を築こうとする際に直面する最大の課題は、フェミニストがよく「交差性《インターセクショナリティ》」と呼ぶものの理解である、ということを述べて終わりにしたいと思います。属性《アイデンティティ》のインターセクショナリティというより、闘争のインターセクショナリティです。

タハリール広場[17]と世界中で繰り広げられたオキュパイ運動の影響を忘れないようにしましょう。そして、私たちはここイスタンブールに集まっているので、タクシム広場やゲジ公園のデモ隊[18]のことも忘れないようにしましょう。よく、近年のこれらのムーヴメントには指導者が不在で、マニフェストもアジェンダも要求もない、だから運動は失敗していると主張する人がいます。しかし、私が注目したいのは、1年ほど前に亡くなったスチュアート・ホール[19]が、「成果《リザルト》」と「効果《インパクト》」を区別するように促していたことです。成果と効果の間には違いがあります。多くの人は、占拠地の野営が消え、目に見えるものがそこから何も生まれなかったから、成果がなかったと思い込んでいます。しかし、これほど想像力豊かで革新的な行動や、国家という足場がない状態でも人々が一緒にいる方法を学び、警察を呼ぶという衝動に屈することなく問題を解決することを学んだ瞬間のインパクトを考えれば、我々はこれを今後の国境を越えた連帯を構築していく中で、真のインスピレーションとするべきです。フランツ・ファノンが私たちに促したように、トルコで、パレスチナで、南アフリカで、ドイツで、コロンビアで、ブラジルで、フィリピンで、アメリカで、自由と正義が世界に広がることを想像できるようになりたいと思いませんか？

もしそうなら、我々は途方もないことを実現させなければなりません。どんな苦労も惜しまず取り組まなければなりません。いつもと同じままではいけません。中立でいることはできません。穏健でいることはできません。私たちは結束した精神、集合的な知性、そしてたくさんの身体を使い、進んで立ち上がって「ノー」を突きつけなければならないのです。

▼16　GPS受信機が内蔵された、常に居場所を把握することが可能な取り外しのできない足輪。

▼17　2011年の「アラブの春」の一つである「エジプト革命」の舞台となったカイロ市内の広場。数十万人の民衆がデモに参加した。

▼18　2013年にこの公園から始まり、トルコ全土に広がった一連の反政府・反エルドアン首相抗議運動には、のべ350万人が参加したとも言われている。

▼19　ジャマイカ移民のイギリスの社会学者でカルチュラル・スタディーズの権威であり、アクティヴィスト。『New Left Review』誌の創設者。

アンジェラ・Y・デイヴィス（Angela Y. Davis）
アメリカの政治活動家、学者、作家、教育者。1960年代からブラック・パワー・ムーヴメント、刑務所廃止運動およびフェミニズム運動に携わりながら研究・執筆を続けている。現在はカリフォルニア大学サンタクルーズ校名誉教授。著書に『Women, Race, and Class』(1981)、邦訳書に『もし奴らが朝にきたら』、『アンジェラ・デービス自伝』（共に現代評論社）、『監獄ビジネス――グローバリズムと産獄複合体』（岩波書店）などがある。

フランク・バラット（Frank Barat）
フランス出身の人権活動家、執筆家、映画プロデューサー。パレスチナに関するラッセル法廷のコーディネーターを務め、2019年には映画制作会社BARCプロダクションズを共同設立。ノーム・チョムスキー著『On Palestine』(2015) の編集など、パレスチナ問題に関する記事の寄稿、書籍の編集やドキュメンタリー映画を多数手がけている。

コーネル・ウェスト（Cornel West）
アメリカの哲学者、政治思想家、社会運動家。イェール大学やユニオン神学校などで教鞭を執り、現在はハーバード大学哲学科教授およびプリンストン大学名誉教授。邦訳書に『哲学を回避するアメリカ知識人』（未來社）、『民主主義の問題』（法政大学出版局）、『人種の問題』（新教出版社）、『コーネル・ウェストが語るブラック・アメリカ――現代を照らし出す6つの魂』（白水社）などがある。

浅沼優子（あさぬま・ゆうこ）
フリーランス音楽ライター／通訳／翻訳家。複数の雑誌、ウェブ媒体に執筆している他、歌詞の対訳や映像作品の字幕制作なども手がける。2009年からはベルリンを拠点にアーティストのマネージメントやブッキング・エージェント、音楽イベントの企画・制作も行っている。訳書にメル・シェレン著『パラダイス・ガラージの時代――NYCクラブカルチャー・光と影　上巻』（ブルース・インターアクションズ）がある。オーストラリアの高等学校を卒業後、クイーンズランド大学教養学部在籍を経て慶應義塾大学法学部政治学科卒業、同大学院法学研究科修士課程修了。

FREEDOM IS A CONSTANT STRUGGLE:
FERGUSON, PALESTINE, AND THE FOUNDATIONS OF A MOVEMENT
by Angela Y. Davis, edited by Frank Barat.
Foreword by Cornel West

Japanese translation published by arrangement with Haymarket Books
through The English Agency (Japan) Ltd.

カバー表1　Photo/ © Getty Images
カバー表4・帯　Photo/ © Djeneba Aduayom

アンジェラ・デイヴィスの教え——自由とはたゆみなき闘い

2021年2月18日　初版印刷
2021年2月28日　初版発行

著　者　アンジェラ・デイヴィス
編　者　フランク・バラット
訳　者　浅沼優子
発行者　小野寺優
発行所　株式会社河出書房新社
〒151-0051　東京都渋谷区千駄ヶ谷2-32-2
電話03-3404-1201（営業）
03-3404-8611（編集）
http://www.kawade.co.jp/

装　幀　北山雅和
組　版　大友哲郎
印刷・製本　三松堂株式会社

Printed in Japan
ISBN978-4-309-24997-1

BLACK LIVES MATTER《ブラック・ライヴズ・マター》
黒人たちの叛乱は何を問うのか

北米にはじまり世界をゆるがすBLACK LIVES MATTERがコロナ禍以降の未来をさししめす。現地報告や論考など多様な角度から、この事態を考察する。

ブラック・マシン・ミュージック
ディスコ、ハウス、デトロイト・テクノ
野田努

廃墟の中から生まれた「新しい音楽」デトロイト・テクノの創成にブラックカルチャーの可能性と普遍性を見つめながら時代の絶望と希望をうたう不滅の一冊。